这 一 秒 开 始 相 …… 近

欢迎爱光临

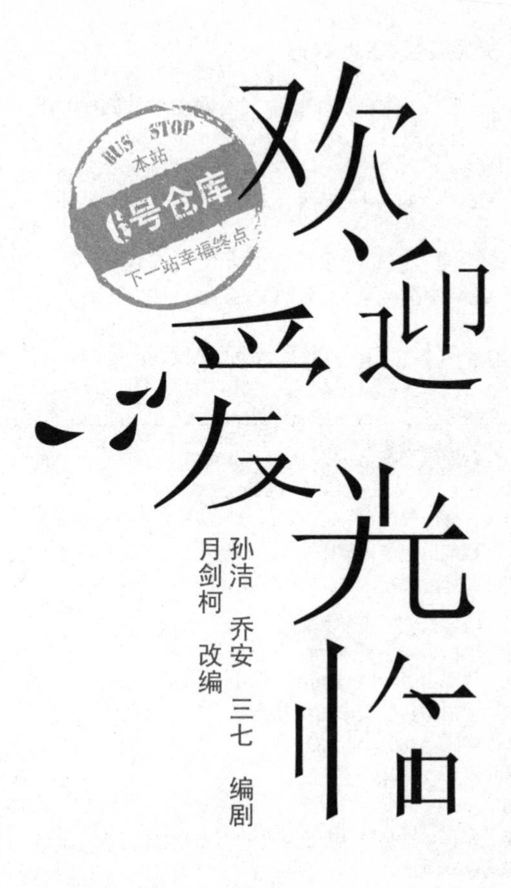

孙洁 乔安 三七 编剧

月剑柯 改编

凤凰出版传媒集团
译林出版社

图书在版编目(CIP)数据

欢迎爱光临 / 孙洁，乔安，三七编剧；月剑柯改编.
--南京：译林出版社，2010.11
（漾系列）
ISBN 978-7-5447-1526-3

Ⅰ.①欢… Ⅱ.①孙… ②乔… ③三… ④月… Ⅲ.
①长篇小说—中国—当代 Ⅳ.①I247.5

中国版本图书馆 CIP 数据核字(2010)第196350号

书　　名　欢迎爱光临
作　　者　孙洁 乔安 三七 编剧 月剑柯 改编
责任编辑　袁楠
出版发行　凤凰出版传媒集团
　　　　　译林出版社(南京市湖南路1号 210009)
电子邮箱　yilin@yilin.com
网　　址　http：//www.yilin.com
集团网址　凤凰出版传媒网http：//www.ppm.cn
印　　刷　上海锦佳装璜印刷发展公司
开　　本　890×1280毫米 1/32
印　　张　8
字　　数　120千
版　　次　2010年11月第1版 2010年11月第1次印刷
标准书号　ISBN 978-7-5447-1526-3
定　　价　25.00元
　　　　　译林版图书若有印装错误可向出版社调换

PART 1

叶子

再渺小的叶子也会努力进行光合作用。

饭团法则：
看上去不起眼的饭团，
必要的时候能救命。

“欢迎光临！”每天早晨醒来，我都会对着镜子练习着这句每天都要说的话。

我是一个便利店女孩。在这座大大的城市里，我和许多人一样，是一个渺小而卑微的存在。但是我相信，再渺小的叶子，只要努力生长，也可以在这座钢铁水泥的城市森林里生根发芽。

今天，对于我来说是特别的一天。领到这个月的工资，给弟弟交完最后一次学费，我就自由了。从此以后，我就可以做自己想做的事、过自己想要的生活。自由，是一个多么让人神往的词啊。

“最后一次。明天，我就自由了！”我情不自禁地抬起头，向窗外望去。早晨七点多的阳光透过干净的玻璃照在我的脸上。温暖，明亮，却一点也不刺眼。

我深深地呼吸了一下。自从把弟弟交学费的事情揽了过来，已经好久没有像今天这样轻松了。为了能帮弟弟缴清学费，在这一年半的时间里，我做过洗碗工、清洁员、家教、快递员……所有能赚钱的活儿，我一个都没放过。还好，一年半的时间终于熬过去了。今天从店长那里领到这个月的工资，辛苦的生活就告一段落了。

从明天起，我就要好好规划自己的生活。汤圆圆说，等我有钱了，她要带我去买好看的衣服，把我打扮得漂漂亮亮的，像个大城市的女孩。

我记得她当时围着我转了好几圈，然后跟我说：“叶子，其实你长得也还算漂亮，就是穿得太土。等你有钱了，我帮你好好改造改造，保你走出去回头率没有百分之百也有百分之九十。”

汤圆圆是我在便利店的同事，虽然神经大条，但是非常热心。在我攒钱给弟弟交学费的这段日子里，她经常以各种名义送给我吃的、用的、穿的，不露痕迹地帮助、照顾我。我很感激她，渐渐地，我们成为了无话不谈的闺密。如果没有她，我想我在这座城市里的生活会更加孤寂。

汤圆圆说要帮我打扮的时候，我只是笑笑，没有回答她。

其实我并不在乎自己穿得像不像大城市的人。我有自己想做的事，一直想做的事。

我骑着车冲到便利店门口的时候，差点撞到了门框。

“差5秒8点！”店长看了一眼墙上的时钟，报出时间。

“太好了！没有迟到！”汤圆圆在旁边欢呼。

我还在喘气，说不出话来，一路上骑车冲得太急了。

“你们两个，今天怎么都给我玩刺激的？我们可是服务满分、活力满分的满分便利店啊！”店长板起面孔，严肃地说，“汤圆圆只提早一分钟到也就算了，她每次都是这么惊险万分的。可是，叶子，你今天是怎么回事？你要是在今天迟到了，全勤奖金可是比我还不讲情面的！”

店长是台湾人，他每次开口都让我有看台湾偶像剧的感觉。虽然他很在意店里的纪律和服务，总是严格地要求我们，说话的时候也总是摆出一副很凶的样子，但是我知道他对我一直很照顾。

如果不是因为有汤圆圆和店长，替弟弟挣学费的日子一定会更辛苦。

“对不起！对不起！”我一边道歉，一边用最快的速度停好车，走进店里准备干活。今天开心得有点过头了，差点犯了错误。我在心里警告自己，以后不许得意忘形了。

店长没有再说话，走到货架那边检查商品摆放去了。

这时候，汤圆圆走过来，把我的制服递给我，悄悄跟我说："你想吓死我啊！先说好哦，我没钱借你，我自己也有卡费要缴的！"

我赶紧说："不用，我算好的，够！"

汤圆圆冲着我俏皮地一笑："我不是不仗义啊，实在是……"

"行了，我知道。"我示意她不用解释了。汤圆圆每次都是这样，虽然嘴上说不帮忙，但其实还是挺仗义的。为了宽慰她，我说："反正明天开始我就解放啦！"

这时候，店长"吭吭"地清了清嗓子，开始按照惯例在开始一天的工作前温习店规："照例强调一遍，咱们满分便利店的店规！"

店长一边说话，一边来回地踱步。他的这些话已经说过八百遍，我和汤圆圆都已经能倒背如流了。我们在店长背后偷偷学着他的话对嘴型，一边不停地交换眼色，一边还忍不住偷笑。

"店规1，顾客永远是对的；店规2，丢东西要自己赔！店规3是？"店长忽然停顿下来，看着我和汤圆圆。

我们连忙齐声回答："绝对不能找错钱！"

店长满意地点点头："没错。要是犯了这一条，绝对不是罚钱了事，而是要扣押薪水一个月，懂吗？身为一个便利店员，绝对不容许发生找错钱这种事，因为这是——纪律问题。"

然后，店长又不无得意地说："嘿嘿，自从我订了这条店规，店里的账一毛钱都没少过，满分啊！"

❀ ❀ ❀

在便利店里，每天都可以见到很多的人。我很喜欢观察他们，猜测他们心里的想法。每一次听到“叮咚”的声音，我就开始观察新来的这一位客人。偶尔，我也会有一些小幻想。比如，下一声“叮咚”之后，出现的是我的王子。

“叮咚”，门铃响了。这一次进来的当然不是王子，而是一个女孩。

我连忙微笑着冲客人喊：“欢迎光临！”说完，就走到收银台前去等着顾客来买单。

那个和我差不多年纪的女孩站在货架前，她的手一会儿伸向色拉，一会儿又伸向酸奶，半天都没选定。她应该是在减肥，所以才会这么犹豫。

我没有催她，只是微笑地等着她。

当一个便利店员，其实每天做的事都差不多，最有趣的事就是可以观察人，看到形形色色的客人。

终于，年轻的女孩下定决心，拿着色拉和酸奶走到收银台。我并没有开始打单。

她犹豫了一下，又转过身去，多拿了一块巧克力，放在我面前。我还是没有急着打单。

果然，年轻的女客人又想了想，把其他的东西全推到一边不要了，只买了巧克力。我冲她微笑了一下，这才开始打单。

等客人完全做好决定，再开始打单——这是我的习惯。

☘ ☘ ☘

“叮咚”，门铃又响了。

我又喊了一句：“欢迎光临！”

一对老夫妻牵着手走进店里来，原来是张爷爷和张奶奶。每天这个时候，张爷爷和张奶奶总会一起出现在叶子的便利店里。张奶奶会买一堆日用品，张爷爷则会拿一份《参考消息》。

“张爷爷、张奶奶早啊！”我甜甜地说。

“早啊！”张爷爷也笑着跟我打招呼。然后，他习惯性地走到报纸栏去找自己要的报纸。

“没有了？”张爷爷有些失望，已经伸出来的手停在了半空。

“张爷爷，在这里！”我从收银台的抽屉里拿出一份《参考消息》，“最后一份，我给您留着了。”

“谢谢你啊，叶子。你真是太细心了！”张爷爷笑着对我说。

“您别客气。”

他们老夫妻俩结完账，心满意足地走出了便利店的大门。照例，张爷爷还是紧紧地牵着张奶奶的手。这就是传说中的“执子之手，与子偕老”吗？看着他们离开的背影，我觉得好羡慕，真希望有一天我也能够像他们一样幸福……

☘ ☘ ☘

中午休息的时候，我拿了店里两个即将过期要丢掉的面包，走到便利店旁的巷子口。那里，有我在这座城市的“亲人”在等着我。

“小鲁，你在哪里？开饭啦！”我大声地呼唤着。

不一会儿，小鲁从远处的灌木丛中钻了出来。它跑到我跟前，趴在地上，眼睛直勾勾地盯着我手里的面包，发出“汪——汪——”的撒娇声。

小鲁是便利店附近的流浪狗，它长得很可爱，也很乖。和我一样，它也是这座城市里渺小而孤单的存在。这样的想法让我忍不住地想要心疼它，照顾它。

当初我发现它的时候，它瘦得只剩骨头了。因为不舍得让这只可爱的小狗挨饿，我经常会拿一些处理下架的面包来喂它。我把它当做我在这个城市里的亲人。我想，它应该也已经把我当亲人了吧。

我蹲下来，把手里的一个面包撕碎，放在小鲁面前，对它说：“小鲁，饿了吧？”

小鲁凑到面包跟前，很谨慎地闻了闻。

我生怕小鲁不吃，赶紧跟它说：“小鲁乖！放心，不是过期的，吃吧！你看，我吃的也是这个，跟你的一样！”

小鲁仿佛真的能听懂我的话，乖乖地吃了起来。我也蹲在一旁，一边看着它吃，一边啃着自己手里的面包。为了省钱，我吃的也是处理下架的面包。

看小鲁吃得那么香，我觉得好幸福。

它的要求真简单，一个面包就能满足。其实我也是一个简简单单的女孩。我的心愿也很简单，那就是遇到一个知我、懂我、爱我的人。我希望他可以和我一起生活，陪我一起变老，就像张爷爷和张奶奶那样。

我能找到这样的一个人吗？我不知道。但是直到这一刻为止，这个人还没有出现在我的生命里。想到妈妈那些失败的爱情故事，我有一些绝望。妈妈也想要找到一个真心相爱的人，但却从来没有成功过。更糟糕的是，她总是被各种“叔叔”打着爱情的旗号欺骗。也许，找到这样一个人需要运气，这样的运气不是每个人都有。

摸着小鲁的头，我开始跟它聊天：“小鲁，你知道吗？等今天领到工资，给弟弟缴完最后一次学费，我到这里的任务就完成了。接下来，我就要为自己努力了！”

小鲁真是一条神奇的狗，好像真的能听懂似的。它抬起头，看着我，“汪汪汪”地叫了三声。

“你是在鼓励我吗？你也觉得一个人要有自己的人生道路，对吗？我想去自学心理学，我想去西藏旅行，我还想去……唉，小鲁，我想做的事情是不是有点太多了？”我继续问小鲁。

这次小鲁没有出声，而是抬起头，做了一个活像“囧”字的怪表情。

这个表情把我乐坏了，我却假装生气地说：“你这是什么表情啊！”

☘☘☘

突然，远处传来汽车发动机的声音。声音很急促，听起来车速不慢。我刚抬起头，就看到一辆车冲了过来。

那是一辆双门跑车，银色的漆散发着金属的质感，飞速旋转的轮胎不断地卷起地面的落叶，整辆车看起来名贵而嚣张。车头那个三叉星的标志，更是格外醒目和耀眼。

车子靠着街道的右侧疾驰，险些撞上了我和小鲁。幸好开车的人及时反应过来，踩了一下刹车。

“吱——”尖锐的刹车声吓了我一跳。小鲁应该也被惊着了，在旁边“汪汪”地乱叫。

“小鲁，你没事吧？”我连忙抱住小鲁，轻轻地抚摸着它，安慰着它。小鲁蜷在我怀里，没有出声，只是不停地发抖。

一个戴着墨镜的年轻男人从那辆车里走了下来。他很高，大概有一米八的样子。他的脸庞棱角分明，有着好看的线条。虽然墨镜遮住了他大部分的脸，但是我猜测，他应该长得不难看。

这个戴着墨镜的男人皱着眉头，看了看我，又看了看小鲁，像是在确认我们是不是有事。我本来以为他会开口道歉，没想到他并没有跟我们说话，而是对着自己手里的手机，冲电话那边喊了一句：“我绝不是开玩笑的！”

这时候，又有一个人从墨镜男人的车里走了下来。那个人跟在墨镜男人的后面，小心翼翼地说：“老大，今天真的不能不拍。”

看那个人的样子，好像是墨镜男人的助理。

戴墨镜的男人没有理他，继续跟电话那边的人争执。

真是傲慢无礼的人，我在心里说着。

这时候，一辆七人座的助理车停在了那辆奔驰车的后面。几个人跳下车来，有的手里拿着反光板，有的手里拎着化妆箱，还有人抱着一堆衣服。其中一个人走到墨镜男人的奔驰车旁边，警惕地守在那里。

这一群人，虽然各自忙着各自手里的事情，眼睛却不约而同地盯着讲电话的墨镜男人。墨镜男人却对身后的一堆人完全置之不理。他一边讲电话，一边往我们便利店的方向走去。

看见墨镜男人对我和小鲁不管不顾，我觉得很生气。

“你长得帅就了不起吗？你看上去很厉害就了不起吗？你吓到我和小鲁了，你为什么不道歉！”我决定要找那个墨镜男人理论，在心里准备着质问他的台词。

可是我好不容易鼓起勇气冲了上去，却只说了这么一句话：“你是怎么开车的？”

墨镜男人根本没有回答我的问题，他伸手把我推开，向我示意他正在讲电话。

我觉得自己不能就此善罢甘休，于是继续说：“你把小鲁吓成这样，你不讲道理……”也许是我的声音太小了，以至于他根本就没有听到。

这时候，墨镜男人忽然大吼了一声：“我已经忍了7年了！”他又吓了我一跳。

过了好一会儿，我才明白过来，他是冲电话那头的人喊的。

电话里的人好像又说了些什么，戴墨镜的男人又吼了一句：“什么？我不讲理？你居然说我夏天不讲理？是我不讲道理还是你不讲道理？”

原来他叫夏天。这个名字倒是很好听。夏天，一个热烈的季节。“怪不得他的脾气也这么烈。”我这么想着，不由得笑了。

这是我和夏天的初次见面，他就这样闯进了我的生活。只是那个瞬间，我对他没有一丁点的好感。我最讨厌这样的人，开着看上去价格不菲的名车，在马路上横冲直撞。我觉得，这样的人一定很傲慢无礼。

我在一旁小声地嘟囔着：“看样子，不讲道理的那个人是你吧！”

这时候，夏天已经走到便利店里。他看收银台前没有人，又看到了我身上的制服，便用手指了指收银台，看着我，一脸质问的表情。我明白他的意思，他是在说——你这个店员，怎么不在店里收银，站在外面干什么？

我摸了摸小鲁的头，对它说："我一定会让他向你道歉的！"然后起身往店里走去。

刚刚走到收银台前，这个叫作夏天的男人忽然摘下了自己的墨镜，露出一张帅气的脸。我这才看到他的脸，英挺的轮廓，好看的眉眼，还有酷酷的表情。

我不由愣了一下。

夏天还在继续对着电话里的人发脾气："我不想再听你解释了！全都是废话！"

"这么好看的人，为什么会有这么坏的脾气呢？"我在心里偷偷地想。

夏天忽然说了一句话："明天，我就自由了！"

说这句话的时候，他那张冷峻的脸上终于浮现出一丝兴奋，他的眼睛里也开始有了一点光亮。但是，这一切都只是一闪而过，很快就消失了。

听到夏天说这句话的时候，我惊呆了，很久都没有移动。他居然和我说了一句一模一样的话。自由，多么令人神往的一个词。他这样的人，也会没有自由吗？

我忍不住仔细地凝视着这个男人。这个冷酷的男人，有着帅气的脸庞和桀骜不驯的表情。在这一瞬间，我忘记了他刚才的鲁莽和暴躁。这个男人的周围仿佛一下子就亮了起来，散发出耀眼的光芒。

我的耳边久久地回荡着他刚才说的那句话："明天，我就自由了！"我的心里，有一朵莫名的花在慢慢地绽放。

夏天发现我在愣神，用责问的目光看着我，然后指了指自己放在收银台上的东西。

我这才意识到自己失态了，很不好意思。我赶紧拿起收银台上的一瓶草莓牛奶，低头开始刷商品的条形码。

“两瓶。”夏天又说话了。

我还是有点愣神，不明白他是什么意思，连忙抬头。原来，他拿了两瓶草莓牛奶，一瓶在我手里，另外一瓶他已经拧开盖子在喝了。

就在我的面前，夏天畅快地喝完了一整瓶草莓牛奶。他喝完停下来的时候，嘴唇上多了一道粉红色的牛奶痕迹。我不小心看到，忍不住“扑哧”地笑了出来。

夏天看到我笑，马上很敏感地掏出一条格子手帕，在脸上擦了一下。他看着从自己脸上擦下来的粉色奶渍，问我：“这有什么好笑的？”

我迟疑了一下，说：“好，我向你道歉。对不起，我不该笑你。”我向他鞠了一个躬，然后认真地说，“接下来，该你对我和小鲁道歉了。”

夏天一愣：“小鲁？”

我说：“对，小鲁，那只狗，我朋友。我们刚才差点被你撞到了！”

夏天先是笑了一下，然后气势汹汹地说：“马路本来就是给车走的，我为什么要道歉？”

“你……你……”我被夏天的这句话噎住了。

我正要继续和他争论，他的手机又响了。夏天接通了手机，继续和电话那边的人争执。我听见他说：“我只需要你给我个答案，到底选择合约还是选择我？！”

听到这么强势的话，我不禁皱了皱眉头，心想：“这个人怎么从来不考虑别人的感受呢？”

夏天继续讲电话的同时，又开始走到货架前拿东西。

“刚刚为什么不选，真是一个奇怪的人。”我在心底嘀咕。

这一次，他又选了很多东西，纸巾、电池、薄荷糖……选完东西以后，他从口袋里掏了100元钱，递给我，示意我快点结算。

在他催促的眼神中，我有些手忙脚乱，赶紧找了一把零钱给他。

夏天用头夹着手机，一手拿着买来的东西，一手接过我找给他的钱，看都没看就一把塞入了口袋。然后，他转身离开了便利店。

我从便利店的玻璃窗向外望去，夏天挂掉了电话，脸上的表情很落寞。

“他的脸看起来好孤单，他怎么了？”我的心有一些疼。

他带着这样的表情上了车。然后，他的车子发动，后面的助理也跟着发动车子，两辆车一前一后地离开了。

这时候，一束阳光从外面照进来，反射到玻璃窗上，照到我的眼睛里，我忽然发现有一点不对头。

“糟糕！错了！错了！”我以最快的速度冲出便利店，但是已经迟了。就这样，我眼睁睁地看着那两辆车消失在街道的尽头，一点办法也没有。

我冲着车子的方向大声地喊：“喂！找错钱了！”我的声音在大街上发出一阵阵的回响，很快又消失在空气中，根本没有人听得到。

“停车！停车啊！”我仍然不死心，跟在那两辆风驰电掣的车后面，拼命地追了很远很远。一直追到再也追不动了，我才停下来。

想起早上店长刚刚重复过的店规，我沮丧极了：“怎么办？找错钱，就是违反了店规，就要被扣押薪水一个月，弟弟的学费也就泡汤了！”

下午6点。店长从员工办公室走了出来，手上拿着两个信封，里面装的应该是我和汤圆圆这个月的薪水。

汤圆圆立刻眼睛放光。

店长看着汤圆圆猴急的表情，慢条斯理地说：“汤圆圆你急什么啊？等我清点完早班账目，自然会把薪水一毛不少给你的，你看看人家叶子，多稳重懂事。”

其实我一点也不镇定，心里只有忐忑和不安。我准备向店长自首，支支吾吾地说：“店，店长……我……”

店长挥挥手，打断了我："有什么话，等我清点完账目再说！"

说完，店长开始清点收款机里的钱，同时认真地核对着账目。我的心也跟着紧张起来，不敢说话。

忽然，店长皱起了眉头："嗯？不对吧？"为了确认，他迅速地把钱又数了一遍，"不对啊，怎么可能？少了90块？"

店长盯着汤圆圆，问她："汤圆圆，难道又是你？"

汤圆圆连忙摇手："真的不是我。发薪日啊，我可是打了十二分精神才让自己一个错都没犯的！"

"坦白吧！"我在心里对自己说，然后深吸了一口气，走到店长面前，用很低的声音跟店长说："店长，是我……我，我找错了钱……"说话的时候，我的眼睛看着地面，脸涨得通红。

"啊？"汤圆圆和店长同时看着我，都觉得不可思议。

店长不相信地盯了我很久："你不是替汤圆圆打掩护吧？"

我摇了摇头。

"怎么可能是你出错，你是零差错的满分员工啊！"店长用很痛心的口吻对我说，"你知道这件事的严重性吗？我们满分便利店从来没有发生过这样的事，就是因为我说到做到的纪律！"

我也不知道说什么才好，但是一想到弟弟的学费，我只能鼓起勇气，抬头看着店长，说："店长，是我不好，这次真的是我粗心了。钱，我一定会赔的。但是，这次能不能通融一下？我，我必须领到这个月的薪水……不然，不然……"

说到这里，我再也说不下去了，几乎就要哭出来。

店长很久没有说话，似乎是在思考。最后，他长长地叹了口气，说："你啊，店长知道你的难处，但是……唉，你怎会出这种错呢……"

我没有再说话，因为我知道自己没有理由辩解。

店长敲着自己的额头，在我面前烦躁地走来走去。

过了很久，店长似乎下了很大的决心，缓缓地将一个信封交到汤圆圆手上。他又停顿了很久，最终还是把另一个信封慢慢地收进了自己的口袋。

我就站在旁边，默默地看着店长把另一个信封收起来，心里一片灰暗：“我为什么会犯这样一个错误呢？本来近在眼前的自由，一下子又飞远了。还有弟弟，他一定满怀期待和信任地在等着我吧？”

店长走到汤圆圆面前，跟她说：“汤圆圆，你给我记住叶子的教训，她是平时灵光关键时刻居然糊涂。你是平时也糊涂，关键时刻也糊涂……想当年我开这个店可不像你们这样……唉，叶子今天这个错啊，我痛心啊，枉费我栽培她的一片苦心……”

说完，店长摇着头走出了便利店。

店长一走出门外，汤圆圆立刻问我：“叶子，那你弟弟的学费怎办？要不，我发的薪水先借你？”

“不用。”我摇头说。

汤圆圆很担心我，她又说：“对了，刚才小凯打电话说他病了，让我帮他代班，要不今晚你替我代班？”

说完，她拿出50元钱，放到我的手心：“这是代班费，虽然可能解决不了什么。”

我接过钱，感激看着汤圆圆：“已经很好了，谢谢你，圆圆！”

汤圆圆故作轻松地说：“我还要谢谢你呢！反正我本来也不想代班。现在好了，我正好去约会。那这里就拜托你了啊！”

“一切都会好起来的！”说完，汤圆圆张开双臂，拥抱了一下我，还作势亲了一下我的脸。

我看着汤圆圆，眼泪几乎就要滴下来。汤圆圆这个看上去粗心大意的女孩，其实挺热心的。她总是会在我最困难的时候，给我一些小温暖。

“要是能找到那个叫夏天的男生就好了，不知道他现在在哪里呢？”我站在便利店的收银台前幻想着。

☘ ☘ ☘

晚上店里几乎没有客人。我失神地敲着计算机，还在想着被扣发了一个月薪水的事情。

不知道怎么搞的，汤圆圆和店长他们刚走不久，忽然下起雨来。意外就像这场大雨一样，突如其来。

“大概是老天爷也觉得我很可怜吧！今天本来是我的Lucky Day……可我居然……犯了不可原谅的错……”想到即将到来的自由又要延期，我就觉得很沮丧。

我的手不小心压在了键盘上，无意之间点开了电脑里的“我的收藏夹”。一个叫“荒野少女恨”的名字吸引了我。

“荒野少女恨？我才是真的恨啊！这到底是什么东西？”我觉得好奇，就点开了这个网址。

原来这是一个图片微博。这个微博最新更新的一张图片，是一位武士装扮的少女，挥着刀，正准备砍向一株带刺的仙人掌。

我忽然觉得，自己就像是这个少女，面对着生活这株浑身是刺的仙人掌，总是在勇敢地战斗。我一次又一次地挥舞起自己的战刀，只是这一次，我输了。

“唉——”我长长地叹了一口气，“谁来帮帮我？谁能帮我打败这株仙人掌呢？”

“你在自言自语说什么呢？我有一点累了，你去弄一会儿吧？”这时候，另外一位店员珊珊走到隔壁的收银台后面。

“没什么！”我赶紧把微博关掉。

这时候，门铃忽然“叮咚”响了一声，总算来了一位顾客。

一只手递过来一把钱。我正打算顶替珊珊去补货，就对这位来买单的顾客说：“对不起，我这边暂停收银，请到隔壁收银台买单。”

因为还在“恨”着，所以我说话的时候并没有抬头。

“我是来找你的！”一个充满磁性的声音响起。

我连忙抬起头，看着对面的这位顾客，又惊又喜。

居然是夏天！

这个时候的夏天，完全没有了白天的盛气凌人。他白天说话时的火药味，好像全被外面的大雨给浇灭了。此时此刻，他的头发被雨淋湿了，全身的衣服也都湿漉漉的，看起来有点憔悴。

“多找的钱，还给你。”夏天还是酷酷的，但是语气却柔和了很多。

“你居然把钱送回来了！”我开心极了。

夏天轻描淡写地说：“没什么，小事一桩。算是打平，你也别追着要我道歉了！”

今天真是跌宕起伏的一天。我激动得简直想拥抱一下夏天，要不是他及时出现，我就惨了。想到这里，我鼻子一酸，眼眶又有一点泛红。

看到我这副样子，夏天大概以为我还在为白天的事情委屈。他连忙慌张地摆着手说：“你别……别哭啊……我开玩笑的！”

夏天着急解释的样子真可爱。我看着他这副样子，不由得破涕为笑。他看到我笑了，也情不自禁地扬起嘴角，露出了一个浅浅的笑容。

“原来，他也可以有这么温暖的笑容。”拿着还留有他温度的钱，我觉得心里暖暖的。

但是夏天转瞬又恢复了酷酷的态度，他没有跟我道别，就直接走出了便利店的大门。

我不由自主地跟着夏天的脚步来到窗前，默默地注视着夏天的背影。雨还在下着，雨雾中，夏天的背影变得越来越模糊。

又一次，他风驰电掣地开着车，消失在我的眼前。我看着他离开的方向，忽然有一种怅然若失的心情。

“我还会再见到他吗？”我这样想的时候不禁哑然失笑。连我自己也觉得，这个想法有一些奢侈。

这时候，远处忽然传来了汽车引擎的声音，有一辆车子在朝着便利店的方向开过来。

“会是他吗？不可能的。他怎么会回来？”我在心里偷偷猜测着，眼睛不由自主地朝汽车来的方向望去。

居然真的是夏天的车。看着他的车子又停在了便利店的门前，我觉得有一点不可思议。这是上天在让我担惊受怕了一天之后，额外送给我的小小礼物吗？

夏天跳下了车，脸上还是那一副酷酷的表情。他径直走到我的面前，没有说话，只是静静地凝视着我的脸。这一秒，我和他之间只有不到十厘米的距离。这样近的距离，让我有一些窒息，我不由自主地向后退了一小步。

夏天没有开口，我也没有开口。周围好像一下子安静下来，我听不到雨的声音，也听不到店里的各种仪器滴滴答答的声音，我只能听到自己的心跳声——“扑通”、“扑通”，跳得那么急促，又那么忐忑。

“欢迎光临！”终于，我小声地说了一句。

夏天听到我说的话，冲着我微微地笑了笑。然后，他转过脸往货架前走去，从货架上拿了一瓶草莓牛奶。

“原来他是为了草莓牛奶回来的——”我的心一点一点地黯淡下来。

下班的时候，雨已经停了。夏天的雨，果然来得快去得也快。

夏天，我又想起了那个叫夏天的男人，还有我刚刚见到他的那一刻不可抑制的心跳。

夜晚的城市美得炫目，璀璨的灯光给这座城市穿上了一件华丽的盛装。

一路上，我开心地看着这个美丽的城市和走在城市街道上的每一个人。我在心里再次对自己说：“以前我在这座城市里，不是为妈妈活着，就是为弟弟活着。从明天开始，我要为我自己而活！”

这时候，刚好有一阵风吹过来。微风吹起了我的衣角，我的心情也和衣角一样轻快。于是，我加快了骑车的速度，让衣角飘得更高一些。

在一条没什么人的小巷子里，我再也抑制不住自己的开心，大声地喊道：“明天，我就自由了！”

这个时候，手机突然响了起来。我急忙刹车，在路边停了下来，接通了电话。

原来是妈妈从家里打来的。

“喂，妈？什么事？”

“叶子啊！明天弟弟要交学费，今天领了钱，明天一大早就得去汇，晚了就来不及啊！”

“知道了，妈。明天一早我会守着银行开门，头一个进去，肯定来得及的，妈你放心！”我调皮地说。

“那就好，那就好。再告诉你一个好消息……”妈妈忽然放低了声音，“你妈我要结婚了！”

听到这个消息，我大吃一惊，一时说不出话来。

妈妈在电话里继续说：“这次是真的。妈可算找到一个靠得住的人了，就是……可能……结婚的时候还要从你那里拿点钱……”

“又来了！这已经不是第一次了！”我很无奈，但又没有任何办法。妈妈总是想找个好男人，可是每次都会遇到骗子，但她还是一直不愿意放弃。我用无力的声音回答：“好，我知道了……”

妈妈可能听出我有些不相信，继续说：“你听妈说，妈之前是遇到过很多不靠谱的男人。但是，没办法，女人嘛，总归还是要嫁人的……”

我一听，妈妈又想搬出那套“女人就得找个男人嫁”的宿命论，赶紧说："妈，你没别的事我就先挂了啊？"

"等等，等等。"妈妈这时候才说，"还有啊，跟你说一声，我请到假了，打算去看看你呢！明天晚上的火车！"

"真的吗？"我忍不住开心地大叫起来，"也就是说，后天我们就能见面了？"

妈妈有点不好意思地说："是啊！我总得为婚事打点打点。"

"嗯，那当然！"我说。

妈妈又提起了另一件事情："叶子，你眼看也不小了，别说妈老把担子压你肩上，假如有个人照顾你，妈也放心了！我觉得王宝强就不错。这次来，我打算把你们俩的婚事也顺便定了！"

我为难地说："妈……我……"

"好了，我到了再详细说吧。长途，话费贵！"妈妈挂断了电话。

妈妈说的这个王宝强是我的老乡。他是个快递员，平时很照顾我，我在便利店的工作也是他介绍的。宝强哥人也不错，敦厚朴实。他总是带着一脸灿烂的笑容，看上去勤快利落又朴实，很容易得到别人信任。我知道，宝强哥很喜欢我，妈妈也一直把他当准女婿。可是我觉得他更像是我的哥哥，而不是恋人。

好不容易才变快乐的心情，一下子就被妈妈的电话给搅乱了。我决定去海边走走。每次我心情不好的时候，都会去海边。

我站在海边的沙滩上，海水一会儿没过我的脚踝，一会儿又退了下去。现在是晚上，没有办法看到蓝色的海面，但是就算只是听听海的声音，我也会在一瞬间平静下来。但是我依然有一丝惆怅："难道我又要开始按照妈妈的意愿生活了吗？那我自己想做的事情怎么办？"

这时候，有人从身后撞了我一下。我吓了一跳，正要发火，却发现是他——夏天！他好像是喝醉了，站都站不稳。我只好扶着他，在我旁边坐了下来。

“为什么你每次出现都要吓我一跳呢？”我在心里偷偷地想，“这是我们今天的第三次见面了。我们是不是很有缘分呢？”

夏天坐在我的旁边，头轻轻地靠在我的肩膀上，我的心又开始莫名地狂跳起来。我试着叫了他几声，他没有回答我，应该是醉得睡过去了。

这样也好，或许我可以跟他说说心事。虽然，他根本不会听到……

再渺小的叶子，只要努力生长，
也可以在这座钢铁水泥的城市森林里生根发芽。

这是我和夏天的初次见面，

他就这样闯进了我的生活。

只是那个瞬间，我对他没有一丁点的好感。

PART 2

夏天

爱情是什么东西？可是，我还是相信它。

纸杯理论：一个人很悲催，两个人很河蟹。

原来“晴天霹雳”这个词也会出现在我的人生字典里。

殷实的家境，美国名牌大学的学历，天才摄影师的称号，时尚圈和媒体的热烈追捧，还有一个相恋七年的国际名模女友。在今天之前，我的人生是完美的，金钱、名声、爱情，一样也不缺。

可是，就在今天，一切都变得不同。我的世界山崩地裂，原本看上去坚不可摧的东西，一下子都变得好脆弱。

今天是我的女朋友Flora和国际知名的模特公司C.I.签约的日子。本来，我有工作去不了她的发布会。但是为了给Flora一个惊喜，我特意排开了档期，往发布会的现场赶去。如果我事先知道，会遭遇接下来的事情，那我宁死都不会去。

现场的人很多，记者也来了不少。在盛大的排场中，我忽然意识到，Flora比我想象的还要红。

我刚刚在现场坐下来，就听见一个记者在提问：“Flora小姐，你好。我是《娱乐周刊》的记者。请问您目前的感情状况如何？”

Flora朝我这边看了一眼。我以为她会说我们俩的事，便会心地朝她微笑了一下。

没想到Flora又看了一眼身边的C.I.总裁Steven。在那个Steven授意的眼神里，她这样宣布：“我一直单身！”

我几乎以为我听错了。

现场立刻出现了一阵小小的骚动。几个工作人员在小声地交头接耳：“Flora不是夏天女朋友吗？他们交往好几年了啊！”

《娱乐周刊》提问的那位记者也在追问：“你不是国内著名摄影师夏天的女朋友吗？”

我看着Flora，希望她会纠正之前的说法。但是，Flora淡淡地一笑，对那个记者说：“那都是传言，不是真的。你是记者，难道连新闻和传闻都分不出来吗？”她说得那样坦然，好像自己说的都是真的，好像我和她从来都没有在一起过。我的心有一点冷。

《娱乐周刊》的记者一下子说不出话来，脸上红一阵白一阵的。

“那不是夏天吗？夏天也在这里！”另一个报社的记者忽然发现了我。一下子，所有的摄像机都齐刷刷对准了我，一群记者蜂拥着向我奔了过来。

“记者们还真是洞悉内情啊！”我在心里冷笑着。

我恨恨地看了Flora很久，她却没有再看我。

我觉得自己不应该再待在那里。于是，我拨开记者，转身离开了。

她一直单身，那么我是什么？

虽然没有对外宣布，可这是一个没有秘密的圈子，我和Flora的关系所有人都心知肚明。我们在一起七年了。在别人的眼里，我们是这个圈子的模范情侣。但是谁又能想到，我的人生第一次出现挫败感，竟然是因为曾经让人无比羡慕的爱情。这就是我和Flora相恋七年的结果吗？

在我离开发布会现场的路上，Flora给我打了电话。她跟我说：“我必须说自己是单身，否则就违约了，新牌子的合约就是这么定的。你也是成年人，做事成熟一点吧！”

“这算是什么理由？难道我们的感情还不如一个莫名其妙的合约重

要？难道要我偷偷摸摸，做你背后的小男人？做藏起来的男人绝不是我的性格！”我一边开着车，一边怒不可遏地跟她说。一不留神，我差点撞到一个便利店店员和一条应该是她养的狗。

我连忙下车看了一下。还好，他们没事。我和Flora的争吵还在断断续续地进行着。

既然已经下车了，我打算顺便买一点东西，于是就走进了附近的那家便利店。

在和Flora的激烈争吵中，我忽然意识到，我和Flora的距离其实早就存在了。Flora想要的是镁光灯前被人注目的感觉，而我却更加重视我的理想。时尚圈的纸醉金迷，渐渐地把她变成一个无比在乎名利的女人。但是对我来说，名和利都是无所谓的东西，做自己想做的事情才最重要。

看上去，我们每天生活在一起，每天沿着同一条轨迹在行走，甚至连工作都常常在一个场合里。可是，其实我们一个在向左走，一个在向右走。等到我们终于开始寻找对方，却发现我们已经远得快要看不清彼此的脸了。

在走出便利店大门的那一刻，我对Flora说：“如果工作和感情真的不能同时进行，那就……分手吧……”

当时，便利店外的马路上没有一个人，静得让人有一点窒息。我说出这句话的时候，仿佛听到了自己的心坠落在地面的声音。

☘ ☘ ☘

回到工作现场的时候，我的情绪仍然很低落。我生平第一次无视专业摄影师的职业操守，把自己的情绪带到工作中。

模特已经在背景板前面准备好了。今天我要拍的这组照片是Chanel最新一季的广告。模特身上穿的白色长裙，是Chanel这一季的最新款。

那个模特看上去非常紧张，大概我的脸色已经向全世界宣布了我的不开心吧。

我端起相机，对那个模特说："放松一点，我会拍出最好看的你！给我一个Chanel式的表情！"

模特听了我的话，拿出所有的自信，摆了一个自己觉得还不错的Pose。

我皱了皱眉，对她说："高贵！要发自内心！Elegant，你懂吗？你穿的是Chanel，不是街头潮牌！"

模特慌张地点了点头。她调整了一下自己的pose，头偏向一边，做出冷艳的表情。

"太平常了。再有点创意好不好？"我还是不满意，"你的想象力这么有限吗？这样的pose满大街都是！"

听到我这么说，模特认真地想了一下，又一次调整自己的姿势。她的头还是偏向一边，脸上露出淡淡的笑容。同时，她的另一只手将长礼服的下摆微微提起，露出一截小腿。旁边的工作人员好像都觉得这个姿势不错，纷纷朝那个模特点头。

但是没有人知道，看到这个姿势，我的脑海里第一时间闪现的，是我给Flora拍的一张照片。照片里的她，所用的姿势和这个模特一样。她穿着一袭高贵的晚礼服，一边用手提着裙边，一边优雅地看着镜头微笑。

这张照片后来还在国际上拿了大奖，Flora也因为这张照片在时尚圈走红。当时，还有媒体把这个姿势称为Flora的招牌姿势，并且取名叫作"Flora的微笑"。

这时候，手机在口袋里震动了起来。我掏出手机看了一下，是Flora打过来的。

我苦笑着，没有犹豫地按下了"拒接"。

当我再抬起头，看到那个模特模仿Flora的姿势，忽然觉得无比的讽刺。

我一下子无法控制自己的情绪，放下相机，对着那个模特大吼："全天下你们只能学Flora了吗？"

顿时，所有的人都停下了手中的工作，全都屏住呼吸，紧张地看着我。模特大概觉得我是在故意找茬，也不高兴了。她立刻摆出一副臭脸，把高跟鞋甩在一边，手叉着腰站在原地，一副“爱谁谁”的表情。其他工作人员一看我和她的这种架势，都战战兢兢的。

这时候，我的助理捧着电话从外面走进来。他问我：“夏哥，下午必须拍摄Flora的平面广告，还有摄影杂志邀约专访，他们又催着要确认到底是几点了……”

Flora，又是Flora！

听到这个名字，我变得更加暴怒：“真有那么着急吗？地球缺了谁不是照样转？我不干了，让他们换人！”说完，我把手里的相机一摔，不顾所有人错愕的眼光，离开了摄影棚。

我的手机又震动了起来，还是Flora打来的。我走到一扇窗户旁边，点燃了一支烟，仍然没有接电话。

手机执著地震了很久。

透过窗户的玻璃，我看到窗外正在下着小雨。

我伸出拳头，猛地朝窗边的墙壁上砸了下去。我的手很痛，但是心更加痛。我的生活里到处都有Flora的影子，可是真实的Flora却已经离我那么遥远。虽然我已经跟她说过要分手，但是那么多年的感情，又怎么能够说收回就收回呢？

两行眼泪渗出我的眼角，已经很久没有像这样流过泪了。

楼道的另一边，两个工作人员在楼道里小声地议论着刚才的事情。她们没有发现我，我却听到了她们的谈话。

其中的一个女孩说：“夏天这臭脾气，谁受得了！”

另一个女孩接口说：“也难怪他发飙，听说Flora今天在记者会上死活不承认和他交往的事。不过，夏天是挺难伺候的，他又不是不知道，有多少有钱人排队追Flora。”

“唉。你看他今天，明显卡住了，会不会就此江郎才尽。”

“要是那样就太可惜了，他这么有才华……”

我没有理会她们说的话，直接从她们身边走了过去。两个工作人员这时候才看到我，吓得赶紧闭上了嘴。

“江郎才尽？我真的江郎才尽了吗？”我想起刚才那两个工作人员的对话，不禁有一些伤感。

尽管在别人眼里，我还是那个赫赫有名的天才摄影师。但是只有我自己知道，我拍的东西已经越来越没有灵气了。我已经越来越厌倦了那些在室内拍出来的商业摄影，狭小的摄影棚和灯光营造出来的美感让我觉得做作。

“继续待在摄影棚里，继续做商业摄影，我的才华真的会被耗尽吧？”我问自己。

“真的要和Flora分手吗？”我继续问自己。

今天，为什么有这么多的问题没有答案？

不知过了多久，雨停了，但是整个城市还是充满了湿漉漉的悲伤，犹如我悲伤的心。

我望向天空的深处，雨后的天空透明得似乎能看清一切。透明的天空中，我仿佛看到自己和Flora的过去在一幕幕地回放。

从上大学的时候，我们就在一起，到现在已经七年了。

直到现在，我还清楚地记得我和Flora认识的情景。

那时候，我很喜欢摄影。有一次，我在纽约的中央公园练习拍摄静物，忽然看到Flora和她的一群朋友。

第一眼看到Flora，我就喜欢上了她。那时候的Flora，她的眼睛清纯得像水一样，她的笑容比阳光还要明媚。她的一切，都和我想象中的完美恋人一模一样。

“这位小姐，请问我是否有幸邀请你当我的模特？”我走过去，绅士地对Flora说。

Flora看了我一眼，眼睛里闪出爱情的光亮。看到这样的光亮，我知道，她一定会答应我。果然，她很爽快地说：“好啊！不过我从来没有当过模特，不知道行不行？”

我说：“你一定可以。”

虽然我满怀信心地说出了这样的话，但是事实上，当时我也只是个刚刚学习摄影的菜鸟，还没有拍出过一流的人像摄影。

“你叫什么名字？”她问。

我说：“我叫夏天。你呢？”

“Flora。中文的意思就是花神。”她也告诉了我她自己的名字。

我们先来到公园的喷泉旁边。喷泉正在喷水，晶莹的水花在阳光下，像是珍珠一样，围绕在Flora的身边。她静静地站在我的镜头前面，露出天真的笑容。我永远记得那张照片里的Flora，美好得像是一个浪漫的梦。

拍完以后，Flora兴冲冲地走到我身边，要回看刚刚拍的照片。

“好美！我从来没有这么美的照片！”她夸张地赞叹着。我得意地笑了。因为Flora，我终于懂得如何捕捉一个人最美好的瞬间。

接着，我们又来到中央公园的雕塑旁边。那个雕塑的四周都是郁郁葱葱的树。充满生命感的绿色和充满历史感的灰色，是我最喜欢的背景色彩。

Flora站在雕像的旁边，抬起头。阳光有一点刺眼，她不禁微微地蹙了一下眉。

“咔嚓”，我立刻把这个瞬间抓拍了下来。在这样的景色面前，这样的表情才是合适的。Flora看到之后，又一次被我的拍摄折服了。

从中央公园回到学校以后，我们就在一起了。

Flora成了我的专属模特，我也当然成为了Flora的专属摄影师。她一直相信，只有我才能拍出最动人的她，因为我最懂她。这就是恋人之间的默契，我们曾经有过这种默契的。

大学毕业以后，我们一起回国，到国内的时尚圈打拼。一开始，我只是一个不知名的摄影师，Flora是个偶尔走几场秀的小模特。

但是，那时候，一切都很顺利。我们虽然没有一夜成名，但也已经发展得够快了。这样潦倒的日子并没有过多久，我就在一个摄影展拿了大奖。得奖的那张照片，模特正是Flora。

一下子，我们就过上了云端的生活。我开上了奔驰SLK，和Flora搬进了大房子，在圈里开始有人叫我“夏老师”。Flora也变得忙碌起来，不少一线品牌都主动地找上门来，希望Flora做他们的代言人。

这样光鲜亮丽的日子是很多人梦寐以求的吧。但是，在这样的日子里，我和Flora却开始变得像是同居一室的普通朋友。我们都在没日没夜的忙碌着，在家里碰面的时间越来越少，聊天的时间越来越少。每一次我想跟她谈谈我心里的想法，她总是会跟我说：“亲爱的，等我有时间的时候再听你说，好吗？”

Flora脸上的妆变得越来越浓，她的想法也越来越多，但是我的心却变得越来越空虚。我和她之间的那份默契，也似乎在慢慢减弱。

虽然早已感觉到她的变化，但是，我还是没有想到在发布会上，Flora会那么轻易地说出了那句话。当所有的摄像机全部都对准我的那一瞬间，我真的不知道自己该说什么、做什么。我只好死死地盯着不远处的Flora，可是她却好像完全没有看到我似的。她从容地对在场的每一个人微笑，除了我。

那一刻，我才发现，闪光灯下的Flora是那么遥远。

回想起这些，我很快有了自己的决定，不管以后我和她还会不会在一起，至少在这一刻我是不会让步的。我决定今天就搬出去住，就算暂时住在酒店，也好过两个人再待在一起。现在这种状况，再继续住在一起只会造成无穷无尽的争吵。我不想跟Flora吵架。

这时候，Flora又给我打电话了。她今天已经打了好几个电话给我，这个电话我决定接听。

“喂，是夏天吗？你终于肯接电话了！你快点来摄影棚帮我拍封面！”Flora火急火燎地说。

我本来还希望她会有一点改变。可是现在，没有道歉，没有温柔，这算什么？

我懒洋洋地回答：“上午我不是就通知助理取消这个拍摄了吗？你们应该有足够的时间找别人拍。”

“你还说！他们不知道从哪里找来的骗子摄影师。拍了几十张，连个镜头都要我提醒他换。拍到一半又忽然站在那里拍不下去了。我让他把之前拍好的照片给我看。天哪！居然没有一张光是对的！”Flora向我夸张地形容。

“有这么糟吗？”我的回答依然不冷不热。

“绝对有！我们没有你真的不行！如果你不来，这期的封面算是砸了！”Flora说。这一次，她说话的声音有一点软下来。我知道她是在向我示好，有一点想要答应她。

这时候，她大概看我很久没说话，重新用很大的声音说：“老地方，给你十五分钟过来救场！”

原来她还是那么霸道！我有一点失望，故意消极地说：“你再说一遍？十五分钟？那可能刚够我下楼。”

Flora继续说：“都是你不专业，早就接下的工作却临时推掉。现在出了状况，你要承担责任！就十五分钟，十五分钟不出现你就自己看着办！”

我原本想和解的心情立刻又土崩瓦解：“我还以为你是来道歉的，结果现在是怎样？你以为你真的吃定我了吗？”

我受够了！

我生气地跟Flora说：“对不起，小姐，你不可能再让我听你的了。我们不是分手了吗？”

“你太小孩子脾气了！” Flora也被我彻底地激怒了。

但是我却坚持地说：“我从来说一不二。”

“夏天，你给我听好！如果你今天不出现，我就会要求公司永远换掉你。这事传出去，你以后也不用在圈里混了！”Flora激动地吼着。

“那真要谢谢你成全，我已经决定另立门户，成立自己的工作室！”我平静地反驳。

“你到底在胡说些什么？夏天，你……”Flora以为我在赌气。

我打断了她：“你也不用再担心我们交往的事被公开。这次，我们真的分手了！”

说完这句话，我狠狠地按掉电话。

我决定回家收拾东西，因为最近这段时间我暂时不想见到Flora。而且，也是时候筹备我自己的工作室了。

☘ ☘ ☘

房间被我弄得有一点乱。我坐在房间的地板上整理着行李，本来以为不会有太多东西，转眼却收拾出好几个纸箱和行李箱。

在一个抽屉里，我翻出了一叠照片。照片是几年前的野外拍摄，照片里的模特是Flora。我忍不住拿着照片，一张一张地看了起来。

拍照片的时候，是一个秋天的周末。Flora刚刚成为我的女朋友，我们就一起去了郊区的一个农场。在农场里，我给Flora拍了很多照片。

Flora在我的镜头下总是很美。她就像是精灵，在金色的田野间起舞。

“拍完这些照片之后，你对我说，我是最有灵性和气场的模特。因为我能够读懂每件衣服和每个场景的情绪，也能够用最恰当的形体把这些情绪表达出来。”我忽然听到Flora的声音。

她不知道什么时候回来了，我居然没有发现。说这些话的时候，她的声音有一些哽咽。

“你怎么回来了？”我问她。

她笑笑：“没办法继续往下拍，我就回来了。”她的笑容里有一丝疲惫，这些没办法逃过我这双摄影师的眼睛。

“你这是要做什么？”Flora发现了我身边的几个纸箱和行李箱。

我看了看她，没有说话，继续埋头收拾。我不是不想理她，甚至对她还有一些心疼，一些留恋，但是我必须让自己决绝一点，因为我不想再停留在以前的生活了。

“你不许离开我！”Flora要将我行李箱里的东西倒出来，我试图阻止她。推搡间，我手里的照片全都掉到了地上。看着照片一张一张地落在地上，我觉得我们的回忆也一点一滴地摔碎了。

Flora歇斯底里地喊道：“你为什么一定要离开我？我们为什么不能继续在一起？”

她说话的时候，高跟鞋上锋利的鞋跟一下子踩在了那叠掉在地面的照片上。我在心里冷笑了一声：“你连我最珍视的东西是什么都不知道。我们还要怎么一起生活下去？”

“不要再耍小孩子脾气了，好吗？你说分手，都是气话，对不对？”Flora还在跟我说话。

我无奈地看着Flora，对她说：“小孩子脾气？如果我要耍小孩子脾气，就不会在这个圈子待七年、压抑自己做不喜欢的事做了七年！我的脾气、我的棱角早都已经被磨平了，现在的夏天已经快要不是当初的那个夏天了！”

“现在这样有什么不好吗？有跑车开，有房子住，要做什么都有人抢着安排好，这不正是我们从前梦寐以求的吗？”Flora还是觉得我在闹脾气。

我冷冷地回答：“好吧，也许这是你梦寐以求的生活，但这不绝对是我想要的。”

Flora愣了一下。她沉默了好一会儿，才又开口：“夏天，你还记得我们以前坐不起飞机就坐长途火车辗转几天几夜、钱省着花两个人分吃一碗泡面的时候吗？你还记得我们名不见经传被那些用鼻孔看人的经纪公司拒绝的时候吗？那个时候我们那么不甘心，现在好不容易都有了自己的事业和地位，为什么你却要主动放弃呢？”

听到这些关于过去的回忆，我有一些激动：“可是那时候我还有梦想，我还可以过自己想要的生活！”

Flora忽然抱住了我，对我说：“你想过的生活不就是和我在一起吗？你的梦想我们可以一起实现啊！我刚刚签了那份新的合约，等约满了……”

听到“新合约”三个字，我把Flora的身体扳直，直视着她的眼睛，然后问她：“在你心里，是我重要？还是这份新合约重要？”

Flora的眼睛里有一丝犹豫，她呢喃地说：“现在毁约的话，就要赔偿上千万的违约金……”

这不是我想要的答案，我失望地推开了她。

Flora却再次抱住了我，她对我说：“我知道你一直梦想做一个野外摄影师，拍你喜欢的自然和生命。等到这份合同到期，我就陪你去戈壁、去非洲，去拍羚羊、拍犀牛，好吗？等到那个时候……”

我摇了摇头：“还要等到什么时候？这句话你签上一个合约的时候就已经说过，我不想再等了。我该去做我想做的事情了！”

我低头拾起那叠被她踩过的照片，小心地擦去上面的灰尘，但是我不打算带走它们了，就让它们留在这栋装满了回忆的房子里吧。于是，我把它们都放在了书房的写字台上。

我开始把我的行李往车上搬。

Flora在我身后低低地啜泣。

我没有回头，只是在心里默默地对她说：“对不起！Flora。也许我还爱着你，可是我必须离开了。因为，被你践踏过的伤口一旦存在，就永远不会愈合。我宁愿，在这个伤口完全溃烂之前跟你说再见。”

今天真是让人难受的一天！难道是因为之前上天给了我太多东西，所以现在要让我尝尝痛苦的滋味吗？

我忽然有一个想法，想要去看一看海。于是，我从车库开出了自己的车，径直往海边开去。每次心情不好的时候，我就喜欢去海边。回国后，我和Flora决定待在这座城市，就是因为这是一个被海拥抱着的城市。

坐进车里，我想醒一醒神，就从口袋里掏出了一盒薄荷糖。薄荷糖是下午从便利店里买的，和薄荷糖放在一起的，还有便利店的那个女孩找给我的零钱。

“怎么那么多？”我觉得零钱的数目好像有点不对，连忙数了数，“找多了？”

不知道为什么，我的脑海第一个出现的居然是那个便利店女孩的样子。她看到我嘴边有奶渍的时候，笑得真可爱。那样清纯的笑容，好像——好像当年的Flora。

我轻笑了一下，心想：“反正顺路，干脆顺便去把钱还给她吧。”

“爱情不过是一种普通的玩意儿，一点也不稀奇。男人不过是一件消遣的东西，有什么了不起。什么叫情？什么叫意？还不是大家自已骗自己！什么叫痴？什么叫迷？简直是男的女的在做戏！”打开车里的收音机，电台里在播一首叫作《卡门》的歌。

听到这首歌，我忽然有一种很悲凉的感觉，“难道这个世界上就再也没有人相信爱情了吗？Flora也是这么想的吗？”

从便利店出来后，我把车开到海边的大排档旁，吃了点东西，顺便喝了点酒。

有的时候，人就是需要喝醉，才能够忘记所有的烦恼和不愉快。但是不知道为什么，我拼命地喝了很多酒，却总是喝不醉。一直喝到头有些晕晕的，我心里的那些烦心事却还是忘不了。

于是，我买了单，来到海边的沙滩上散步。夜晚的海边，风不算很大，风中带着海水的咸味。我迎风走在沙滩上，盼望着海边的微风可以把我的烦恼吹走。海浪的声音真好听，我那颗心烦意乱的心终于变得平静了一些。

跌跌撞撞地向前走了两步，我忽然被沙滩里的一个大贝壳绊了一下，整个人差点跌到地上，还不小心撞到了沙滩上的一个女孩。 “干什么呀？”那女孩显然被吓坏了，但她还是把我扶了起来。这时候我才发现，原来她是那个便利店女孩。

她应该也认出了我，所以才会搀扶着我在她身边坐下。

“你喝醉了吗？”她问我。

我没有回答。虽然还有意识，但是要用我的大脑控制我的嘴巴好像还是有点吃力。

她大概以为我醉得不省人事了，就跟我说：“你喝那么多酒，也是因为心情不好吧？我也一样，看来我们是同病相怜呢。”

接着，她絮絮叨叨地跟我讲起了她的故事。

“我爸爸在我很小的时候就去世了，是妈妈一个人把我和弟弟抚养长大。十几年来，我们一家人总是紧紧地抱在一起，相依为命。

“一年前，我弟弟考上了中国人民大学经济学院。你知道吗？其实我的成绩比弟弟好，但是我知道家里只能供一个人上大学，所以在考试的时候我故意少答了几个题目。

“我还记得弟弟报名那天，妈妈说有事要晚到，我就带着他先去了人大。谁知等妈妈赶到的时候，她说把钱借给了一个男人。你说可笑不可笑？这么多年来，妈妈总是想把自己嫁出去，可是每次的结果都是人财两空。这个世界上怎么有那么多打着爱情幌子的骗子呢？

“我知道这笔钱已经不可能追回了，所以就跟学校请求分期付款。我来到这座城市打工，给弟弟赚学费。弟弟本来不愿意我这么做，但是我跟他说，有姐姐在，就不会让你没有书念。

“辛苦努力了一年，终于，明天付清所有的钱，我就可以过自己的生活了。我也有自己的梦想呢！你知道我的梦想是什么吗？我想遇到一个我喜欢的人，然后和他幸福地生活在一起。可是……”

“原来一个人可以跟陌生人说这么多话，为什么和亲近的人反而无法沟通呢？”我想。

我本来想告诉叶子，她是一个勇敢的女孩。只不过，我的头还是很沉，实在没有办法说话。她还在继续絮叨，说她妈妈误会和她和一个什么强的男人的关系，打算趁这次来看她，替他们把婚事办了。这个社会，竟然还有人为了包办婚姻而烦恼，我真是无话可说了。

“我只是把他当哥哥。我还没谈过恋爱，到底什么是爱情啊？每次看到妈妈被不同的男人骗，我都快要不相信这个世界还有爱情了。可是看到张爷爷张奶奶的时候，我又会觉得他们的爱情真浪漫。张爷爷和张奶奶真的很幸福，他们每天一起到便利店买东西，一起牵着手过马路，一看就是一对白头偕老的夫妻。你说，爱情到底存不存在？爱情到底是个什么东西呢？”叶子好像在问我，又好像在问她自己。

“爱情到底是个什么东西呢？我也不知道。但是我相信，爱情一定存在。尽管曾经失败过一次，我还是相信在这个世界上，总有一份属于我的真爱。”我流泪的内心这样回答。

我说出这句话的时候，
仿佛听到了自己的心坠落在地面的声音。

因为，被你践踏过的伤口一旦存在，
就永远不会愈合。
我宁愿，在这个伤口完全溃烂之前
跟你说再见。

PART 3

叶子

从今以后，我的夏天将变得与众不同。

薄荷茶幻象：
在喝完一杯薄荷茶的时间里，
你可能会爱上一个人。

早上上班前，我向店长请了假，去银行把钱汇给了弟弟。当我从银行走出来的时候，立刻觉得无比轻松："终于缴完了，哈，叶子，你真棒！"

我把最后一张汇款单小心地收在钱包里。然后，我不顾路人诧异的眼光，张开双臂，迎接着从天而降的雨滴。

我对着天空大声地喊："我，终于可以为自己而活了！"

今天是个阴天，可是我的心里却是阳光灿烂的。

☘ ☘ ☘

"阿嚏——"我刚走进店里，就不由自主地又打了个喷嚏。

"叶子，你的感冒怎么好像更严重啦？"店长听到喷嚏声，关心地问我。然后，他用手指着站在收银台旁边的一个人说："你看，宝强都在这里等你好久了！"

这时候，宝强哥已经走了过来。他心疼地对叶子说："你呀，也不能因为心情好就不打伞啊。看，感冒了吧？"

我还没来得及回答，宝强哥就已经拿出一张纸巾，细心地替我擦起头发上的水来。我下意识地躲了一下，他笑了笑说："干吗这么不好意思啊？"

宝强哥是快递员，负责的正好是我们这个片区。宝强哥是趁上班的间隙来看我的，所以身上还穿着快递员的制服。他真是一个勤快又会收拾的人，连快递员的制服都浆洗得干干净净，熨烫得服服帖帖。

汤圆圆看着我们两个人，打趣地说：“叶子，你说，怎么几天不见宝强，他好像更帅了呢。”

宝强哥顿时脸红了，看着汤圆圆和我憨厚地笑着。

忽然，宝强哥发现我的脸色不太对，赶紧伸手摸了摸我的额头，再摸了摸自己的。他惊呼：“叶子，你发烧了！”

“发烧？”听到宝强哥这么说，店长和汤圆圆一下子也紧张起来。

宝强哥更是着急得冒汗：“你妈把你托付给我，可别有什么事啊！不行，我得送你去医院！”

我连忙说：“去医院多贵啊，而且这是小感冒而已，吃点药就好了。”

宝强哥却不肯，心疼地说：“你呀，平常这也省那也省，现在都发烧了还省啊？”

“是啊！现在弟弟的学费也缴完了，该对自己好一点了！”店长也加入劝我的行列。

“是吗？那真的要恭喜你了，叶子！”宝强哥听说我不需要负担弟弟的事情了，很开心。

店长连忙得意地说：“嗳，要不是我连夜赶来发薪水，怎么来得及一早汇钱呢！”

汤圆圆一听，调侃地对店长说：“哎，要不是有人把钱送回来，店长会愿意发薪水？”说完，她还朝店长做了个鬼脸。

店长立刻辩解说：“那我也是不睡觉连夜赶来的，不是吗？”

宝强哥已经知道大概是怎么回事，他连忙跳出来打圆场：“这当然，叶子还是得靠大家照顾，才能这么顺利！”

说完，宝强哥从随身的大包里拿出家乡的好吃名产，有龙眼酥、琵琶，还有干巴牛肉。他把其中一包递给店长，另外一包塞给我，还有一包递给了汤圆圆。

宝强哥说："今天真是值得庆祝。这些都是我家里人寄来的，给大家解解馋，也顺便谢谢店长和圆圆一直以来对叶子的照顾。"

"连我也跟着沾光啊？王宝强最好了，哇，都是好吃的东西！"汤圆圆看到那么多好吃的，开心得不得了。

这时，我的手机突然响了。我连忙从外套口袋里掏出手机："妈？！"

现在是工作时间。我用余光看到，店长皱着眉欲言又止。我只能冲店长笑笑，然后拿着手机跑出店门去接电话。

我站在门外的空地，捂着手机，小声在电话里跟妈妈抱怨："不是说好了工作时间不打电话嘛，而且电话费很贵的。"

妈妈说："我知道啊。不过，这次是你弟弟让我打给你的，他说他不会让你失望的！"

"嗯。"我心里涌起了一阵自豪和欣慰。

"还有啊，跟你说一声，我明天晚上的火车，后天一早就到了！"妈妈在电话那头说道。

"真的吗？"我忍不住开心地大叫起来，忽然想到现在是工作时间，连忙压低声音跟妈妈说，"就是说，后天我们就能见面了？"

妈妈不好意思地说："是啊！"

这时候，一直在店里留意着我的宝强哥推门出来。他问我："阿姨后天要来？"

妈妈也听到了宝强哥的声音。她立刻提高嗓门："是宝强吧？快，快，叫宝强听电话。"

我只好将手里电话递给宝强哥。

宝强哥接过电话说："阿姨，是我。你后天几点到，我去火车站接你，给你安排个接风宴，再请两天假，陪你逛逛街……"那口气完全像是一个准女婿在讨丈母娘欢心。

听到这些话，我急忙地推辞说："宝强哥，就不麻烦你了吧……"

宝强哥却依然很热情：“麻烦什么？应该的。”

我还想说点什么，结果却又打了一个喷嚏。

妈妈在电话里着急地问：“叶子，你怎么感冒了？宝强，这我可就要怪你了，你怎么不照顾好我们家叶子。”

宝强哥连忙向妈妈认错：“是是是，都是我不好……”

挂了电话以后，宝强哥跟我说：“叶子，快，我陪你去医院看看吧？”

我摇摇头，不肯去。

宝强哥见拗不过我，只好跑到附近的药店买了好多治感冒发烧的药，放到我手上。然后，他又看着我把药都吃下去，才不太放心地走了。

“我下午再来看你。”宝强哥临走的时候说。

中午的时候，便利店里的客人照例不是很多。

趁着清闲，店长又开始鼓舞我和汤圆圆的士气。他豪情万丈一挥右手，说：“我们便利店是要有目标的！未来5年，全市连锁；未来10年，全国连锁！你们有没有信心？”

我和汤圆圆还没来得及说话，店长又继续豪情地说：“一切就从你们开始，一定要好好记住我说过的！”

虽然吃了药，但是我还是觉得不太舒服。旁边的汤圆圆小声地问我：“叶子，要不你下午干脆请假？”

我勉强支撑着回答她：“不用，我还好。我还要拿全勤奖金呢！”说完，我强打精神，拿起一个小笔记本，想要记录店长说的话。

店长满意看着我，继续他的励志演讲：“世博杀到了家门口，咱们生意一定强！都给我打起精神来，从今天开始，便利店的每个人，都要学会世博微笑！”

他拿出一双筷子，用力咬着，相当勉强地摆出一个灿烂的笑脸。看他那个滑稽的样子，汤圆圆忍不住笑出声来。

店长正色地说："笑什么！好好看着我，就是这样的笑容。来，跟我学，咬着筷子，露出6颗牙！叶子，你来示范一下！"

我连忙接过筷子，模仿着店长的笑容。

店长看了看我，觉得不满意，又让汤圆圆试了一下。

汤圆圆学着店长的样子摆了一个pose，店长也摇头："看来，笑成我这样是需要功夫的。你们两个好好练习吧！"

"是，店长。"我接过店长手里的筷子，走到窗户旁边的玻璃前面，开始练习。我练了好一会儿，笑容还是不够标准，这让我有一点发愁。

这时候，我感觉自己想打喷嚏，连忙跑到收银台去拿纸巾。看到电脑屏幕，我忽然想起了那个"荒野少女恨"的微博，于是点开 "我的收藏夹"找到了那个微博。

微薄最新更新的一张图片，叫"荒野中的生命"。图片上，是一片在荒野中的叶子，努力地伸展着自己。我很喜欢这幅图片，这片顽强的小叶子就像我一样。周围一片荒凉，可是它却那么努力地在生长。

我在心里对自己说："我要像这片叶子一样，不管环境怎样，都努力地生长！"

于是，我重新站在那块可以当镜子用的玻璃前面，继续一遍又一遍地练习自己的世博笑容。

"铛！"我正在练习，忽然听到有人敲了一下玻璃。我透过玻璃仔细地向外望去，站在窗外的人居然是夏天。

"啊！"我不禁叫了一声，像是被施了法术一样定在原地，嘴巴张得老大，嘴里的筷子也掉了下来。他却没有再看我，径直地走到店里来了。

眼尖的汤圆圆这时候也发现了夏天。她连忙放下手上的化妆镜，走到我身边推了推我，不敢相信地说："这样的大帅哥，竟然会走进我们这家店！"

被汤圆圆一推，我连忙捡起掉在地上的筷子，有点紧张地说了一句："欢……欢迎光临！"

然后，我悄悄地对汤圆圆说："上次他就来过一次，你不在，所以没看到。就是他帮我把找错的钱送回来的。"

汤圆圆已经没有心思听我说话了，她拿出最甜美的笑容，最好听的声音，抢在我前面对夏天说："欢迎光临！很高兴为您服务，请问您有什么需要的啊，我会做到令您百分之百满意……啊，谦虚点说，还是百分之九十九好了。"

夏天还是一副很酷的神情，他直接走到我面前，对我说："笑容，要发自内心！以专业的角度来说，你做得还不够好。"

我没有反应过来他在说什么，不明所以地回答说："嗯，那个……您要的草莓牛奶刚好卖完，还来不及补货，真……抱歉……"

汤圆圆花痴得要命，见大帅哥和我说话，很不服气。她连忙插话说："这位大帅哥，要不要试试看草莓酸奶，酸奶有乳酸菌更健康，对您皮肤也好，您看我的皮肤就是经常喝酸奶的效果呢！"

说完，她还用手指了指自己的皮肤。那意思是："你看看我，喝多了酸奶皮肤多好！"

没想到夏天完全不理汤圆圆，他看着我说："我不是来买牛奶的。"他指了指外面橱窗里的招租广告，说："我想看看你们招租的房子。"

这时候，店长不知怎么忽地冒了出来："谁要租房？"

我指指夏天。

"是你……您啊？"店长看到夏天，语气立刻变得毕恭毕敬，"您真有眼光！不瞒您说，这房子简直是万里挑一、万中选一、万绿丛中一点红、万岁万岁万万岁，打着灯笼都很难找到的好房子。房东是我的老主顾，有什么要求你尽管和我提！你真是很有眼光，也很有福气。我可以跟你保证，你租下这房子，一定可以万事顺利，万事如意……"

见店长又开始啰唆，一边的汤圆圆连忙打断："店长店长，您讲得再多，客人也不知道房子是不是真的好。不如让我赶紧带客人上去看看吧！"说完，汤圆圆就想抓着夏天的手往外走。

"不行不行，你太不稳重了，"店长伸手拦住了汤圆圆，然后指着我说，"叶子，你带着客人去！"

"哦。"我答应了一声。

* * *

我在前面带路，夏天默默地跟在我后面。很长一段时间里，我们谁也没说话。

好尴尬啊，店长为什么非要让我带他去看房子呢？昨天我竟然跟一个才认识的人说了这么多话，真的好丢人。还好他喝醉了，看他现在的样子，应该什么也不知道吧。我在心里想。

"到了！"我把门打开以后，夏天迫不及待地走了进去，我也连忙跟着走进去。

其实，我也是第一次来这里。我四处打量了一些，发现这套房子其实相当不错。房子的屋顶有一盏别致的水晶吊灯，墙纸是深咖啡色的，客厅的地上铺着漂亮而有品质的地板。更难得的是，这座房子的客厅很大、很空旷，而且房主几乎没放什么家具，整个空间大得几乎可以开舞会。

我不由得惊叹："客厅好大啊！"

"嗯，真是够大的。"夏天环视着整个屋子之后，向客厅的窗户边走去。客厅窗户上，居然还挂着遮光性很强的窗帘。

我连忙跟着走上前去，准备拉开窗帘进行介绍。谁知道，一拉开了窗帘，窗外的太阳立刻照了进来，亮得有点刺眼。我一个踉跄，用手遮挡住眼睛，才勉强定神站住。我很尴尬地看着夏天，结结巴巴地说："窗……窗户也很大……视野会很好的……你看……”

这扇窗户的面积的确不小。阳光透过落地的玻璃窗照进来，整个屋子里的光线相当充足，每一个角落都亮堂堂的。

我伸手去推窗户，但是居然推不开，我立刻尴尬地直冒汗。

“你也太土了吧。”夏天嘲笑地说。他走过来，很轻松地推开了窗户。

太阳照得我有一些昏沉，我觉得更不舒服了。我晕乎乎地看着夏天，说：“这里很不错……不过……其实租金挺贵的……你一个人住？”

夏天先是摇摇头，想了一下之后，又点点头。

摇头又点头，这是什么意思？真是个奇怪的人！就当做是你一个人住吧。我在心里想。于是，我对他说：“如果是一个人住的话，这么大的空间有一点浪费，不太合算。你要不要考虑一下？”

“哪有房屋中介会替顾客考虑的，你们不是都巴不得顾客选租金最高的房子租下来？”听完我的话，夏天笑了。

他一定觉得我不专业吧？我在心里忐忑地想。

我决定不管他租得合不合算了，开始向他介绍着周边的情况：“这里生活倒是挺方便的。便利店就在旁边，平时买东西方便，街角处也有不少餐馆……”

我还没有介绍完，他突然说：“我租了。”

“啊？……可……其他房间你还没看呢。”我吃惊地看着他，有点不敢相信。

夏天却坚定地说：“我已经决定了。我们回去吧。”

“那好吧。”我说。

大概是因为把房子的事情定下来了，夏天很开心，笑着对我说：“你叫叶子吧，我叫夏天。以后我们就是邻居了，有什么事都可以找我，我一定帮忙。你要是到我的工作室来拍照的话，我还可以给你打折。”

我开心地说：“好啊。”

他心情好的时候，好像也不是那么难相处嘛。

这时候，他忽然问我：“你妈妈到了吗？”

“天哪！难道昨天晚上他没有喝醉？那我说的那些话他一定都听见了！”一下子，我觉得无比尴尬，低着头不好意思看他，恨不得找个地洞钻进去。

“我去关一下窗户。”我慌乱地说，然后朝窗边走去。

我看着窗户外面的太阳，心想：“今天的阳光还真是刺眼！”这时候，我忽然觉得头变得很沉，身体变得很重。

再醒来的时候，我看到夏天在我旁边一直不停地摇我：“叶子，你没事吧？醒醒，醒醒！”

他见我醒了，凶巴巴地说：“身体这么烫！你发烧居然还敢工作？不要命啦！”

我这才感觉到自己浑身烫得像个火炉，但我还是强撑着说：“我……我没事……”

夏天皱着眉头，对我说：“你现在起码有39度。”

我挣扎着，试图站起来：“真的没事了，店里还有好多事等着，我不能怠工。”

“我来扶你。”夏天扶住了我，我的心一下子跳得很快。

本来我想表示一点抗议，可是他的肩膀好宽，他的手也好有力。我忽然希望能慢一点走到店里，这样就可以被他多扶一会儿。

但是很快，我们就回到了店里。

我听见汤圆圆很大声地喊了一句：“叶子，你怎么才回来？”

“她烧得太厉害，刚才晕倒了！”夏天告诉汤圆圆。和汤圆圆说话的时候，他的眼睛一直看着我，一刻也没有离开过，这让我觉得很温暖。

“原来是这样，我还以为你被大帅哥迷住了呢……”汤圆圆走过来和夏天一起搀着我，“早叫你不要硬撑嘛。你看，要不是这位大帅哥帮忙，你就真的出事了……”

我倔强地反驳道："我真的没事……阿嚏！"话还没说完，我又打了个喷嚏。

这时候，夏天递给我一块手帕。那是一块方格子的手帕，不但叠得很整齐，而且散发着淡淡的清香。

我迟疑了一下，没有伸手去接。

夏天在一旁催促："拿着……感冒要多休息，不能再继续工作了。"

我这才接过手帕，感激地看着夏天。

"谢……"

我正要道谢，夏天却打断了我："不然会传染给别人。"他的温柔似乎又不见了，脸上重新恢复了往常的酷。

这时候，店长从员工休息室走了出来。他迫不及待地问夏天："房子怎么样？还不错吧？是不是像我说的那样，简直就是万中选一？"

夏天正要说话，忽然有几个女孩和一个男人冲了过来。

"夏大师，真的是夏大师啊！"几个女孩就像是小粉丝似的围住夏天。

其中一个女孩对夏天说："夏大师，我观摩您拍的作品很久了，最希望的就是有朝一日能跟您一起工作。能跟您工作，简直是我们所有模特最大的荣幸。您帮我签个名吧！" 说完，那个女孩拿出包包里的笔，要夏天帮她签名在衣服上。

夏天很帅气地拿起笔，在她的背上签下了自己的名字。看他那潇洒的样子，真的好像电影里的男明星呢！

"原来她们是模特。"我在心里想，"那夏天应该是摄影师了。他的职业也太帅了吧！"

唯一的那个男人也用很巴结地语气跟夏天说："哎呀，夏大师，好久不见。你看我这些女孩多崇拜您。您这位金手指什么时候有空，帮我们公司的模特提升一下呢？"

"那个男人应该是个经纪人。"汤圆圆悄悄跟我说。

夏天客气地说：“什么金手指，不敢当。”

那个男人笑了起来：“哈哈哈，您太谦虚了。谁都知道，Flora这么红，当初也是靠夏大师的作品一手塑造出来的……”

我发现听到“Flora”这个名字的时候，夏天立刻有一点失神。我不由得在心里猜想：“这个Flora到底是谁呢？是他的女朋友吗？如果是的话，为什么夏天一听到这个名字，就好像很伤心的样子？”

那位经纪人也很识相，他发现夏天不太对劲，连忙转换话题：“那我们将来合作的事情，就这么说定了。您先忙，到时我给您打电话约个时间好好聊聊！”

那位经纪人带着几位漂亮的模特儿离开了便利店。

店长这才又清了清嗓子：“我们刚才要说什么来着？”

汤圆圆已经知道夏天决定租房了，于是抢着说：“这位帅哥大师级的客人，他决定要租隔壁楼房了！”

“那太好了！”店长兴奋地絮叨，“付三押一，水电全包，每月价格是一万五……您是打算什么时候入住呢？现在是月底，看您这么爽快，我去和房东说说，就从下月初算起租好了，这样您可以有七八天不算钱呢……这份小情不算什么，只要您记得，常来小店光顾就够了……”

夏天打断店长，干脆地说：“我明天来交钱。”

他又转身，从货架上拿了一包薄荷茶递给我：“这个，帮我打单！”

我连忙走到收银台前，扫描了一下条形码：“20元。”

他掏出钱包，付了钱，问我：“你的杯子呢？”

我不知道他要干什么，但还是从员工休息室拿来了自己的杯子。

这时候，他撕开一包薄荷茶，倒进我的杯子里，又走到店里的饮水机前，往杯子里加了热水。薄荷茶的味道立刻弥散开来，在整个屋子里飘荡。

夏天一边用我杯子里的勺子搅拌着，一边用嘴轻轻地吹着气。等到他觉得温度差不多了，才递到我手里，温柔地对我说：“把它喝了，对你的感冒有好处。”

我闻着杯里薄荷茶的香气，感受着夏天里最清凉的味道。就像是被催眠了一样，我端着杯子，将一大杯的薄荷茶全部喝了下去。

在薄荷茶升起的水汽间，我偷偷地看着夏天。他英俊的脸庞，他挺拔的身形，还有他那颗看上去很酷但其实很善良的心。这就是传说中的王子吗？

据说，在喝完一杯薄荷茶的时间里，你可能会爱上一个人。我想，这一刻，我爱上了夏天。

我正要对他说谢谢，他却伸手制止了我。

他只对我说了一句话：“记得把剩下的薄荷茶喝完。”

说完，他就走了。

“这房子放出来两个月没租出去，他居然看了一眼就决定租了！啊，有钱人的品味就是这样与众不同……他到底是谁啊，这么有钱？”店长在夏天离开后碎碎念着。

汤圆圆也在旁边花痴地说：“是啊，他到底是谁啊？这么帅！”

我呆呆地望着夏天远去的背影，心中一阵失落，但是很快又开心起来。夏天马上就要搬到对面的楼上，到时候就可以天天看到他了。

忽然，汤圆圆一拍脑袋，开心地跳了起来，跑到杂志那边，翻开卖的杂志某一页，惊喜地喊道：“哎呦，我就说怎么看着这么眼熟，帅哥也不是那么多嘛。”

我和店长连忙凑过去看。一本摄影杂志上刊登着夏天和一个很漂亮的女孩的照片，照片里，夏天和她正相视而笑。叶子看到，那篇文章的标题是《金牌搭档的秘诀：名模Flora&著名摄影师夏天！》

店长一眼就认出了那个女孩：“哎呦，这不是Flora嘛！最近她很红啊，高挑、艳丽、神秘的眼神中透露出一些性感，简直就是我们中年男子心目中的女神……哇，她还准备进军国际？真是太厉害了！”

汤圆圆也读起了那篇文章里对夏天的描述：“著名摄影师夏天——颀

长、帅气，气质有如高贵的王子，忧郁的眼神透露出他深层的寂寞，我看得出他对爱情极度渴望……哇，我何其有幸，居然跟他说了话呢？”

店长连忙指着夏天的照片，对我指示：“叶子，你记住了，夏大师是我们店钻石级的客人，你要拿出以前从不出错的劲头，把人家招待照顾得周周全全，知道吗？”

“嗯。”我回答了一声。

看着夏天的手帕，还有他留给我的薄荷茶，我的心里有一种异样的感觉。

原来他是这么闪耀的一个人，怪不得我会这么快就爱上他。迷他的女人肯定排成长队，我在他眼里只是一个又傻又土的小粉丝吧？

我忽然有一些沮丧，我是不为人知的叶子，他却是最火热的夏天。

背影潜规则：

你看着别人的背影，

别人也可能在看你。

“阿姨，你坐了几个小时车辛苦了，得多吃点。来，尝尝这个，家乡那边吃不到的！”宝强哥和我一起去火车站接的妈妈。

然后，宝强哥就把我们领到一家饭馆吃饭。

这家饭馆相当不错，装修得金碧辉煌的。我看了一眼菜价，相当不便宜。我连忙推了推宝强哥：“干吗到这么贵的地方吃饭啊？”

宝强哥憨厚地笑了笑：“也不贵啊。再说，阿姨大老远来一趟，还不得吃点好的？”

坐定之后，妈妈点了几个菜。宝强哥却觉得还不够，又叫来服务员加了几个菜。

吃饭的时候，宝强哥不停地给妈妈夹菜，殷勤得像个准女婿。

“好，好，好。宝强，你长大了，办事靠得住，说话又贴心，要是我们叶子能嫁给你，阿姨以后就不用操心啦！”妈妈显然也很满意宝强哥的表现，开心地说。

他们两个兴奋地交谈着，我反而像个局外人一样坐在旁边。他们不需要我说话，我也不想说话。

宝强哥听妈妈提到我和他的婚事，更加高兴了。他拍着胸脯跟妈妈保证：“阿姨，你放心，我一定会照顾好她的。您别看我只是个小小的快递员，但只要勤快做，一个月少说也有五六千块。做得好了，像上个月，赚个上万块也是有的。等过一段时间，我还想跟老板商量商量，承包下我们那块区域，赚得会比现在还多。”

宝强哥虽然喝了酒，但是他说这些话的时候相当诚恳。我知道，宝强哥轻易不会许诺，他说过的事情一定做得到。他是一个好人，只是不是我喜欢的人。

我看见妈妈频频点头。她显然很喜欢宝强哥这样的上进青年。

宝强哥继续说："而且我前几年买的房子，最近贷款就快还清了。将来我和叶子结婚的话，可以拿这个房子来做新房。我肯定不会让叶子跟我一起还贷款的。”

“好孩子，从小阿姨就觉得你有出息，果然没看错。有你这些话，我就放心了！”妈妈继续夸着宝强哥。然后她认真地跟宝强哥说："你们结婚那天啊，婚礼也一定要办的风风光光的！结婚嫁人是女孩子一生的梦想，不要让我们叶子受委屈啊！”

“对，对，对，阿姨说得对。这是一定的！”宝强哥连连点头。

“难道我的未来，就要在这一顿饭里，由别人来决定吗？”我有一点点神伤。

我虽然只是一片小小的叶子，可是我也有自己的想法，我也想按照自己的方式生长。我的人生，就算没有“夏天”那么夺目，至少也要比狗尾巴草精彩一点吧。

夏天，我又想起了他。像他那样的人，一定可以随心所欲地生活。不像我，有这么多的无奈。我们是两个世界的人。

妈妈很开心地又喝了一杯酒，趁着酒劲继续说："宝强啊，你说，婚礼的时候杀几头猪合适？至少得杀八头吧？”

“八头哪儿够啊？杀九头吧！取长长久久的意思，吉利！”宝强哥也很欢喜地和妈妈讨论着。

“天哪，这都是什么乱七八糟的啊！难道我真的就要这样嫁人了？人家的婚礼有教堂，有婚纱，我婚礼的吉祥物却是九头猪？”想到这些，我简直要窒息得昏过去。

我再也没有办法坐在旁边安静地听他们说话了。

“这里的烟味太大了，我去外面透透气！”没等妈妈和宝强哥回答，我就往门外跑去。

“阿姨，我去看看叶子。”宝强哥赶紧跟妈妈打招呼，然后要跟着我出来。他在我身后喊：“叶子，等等我！”

我假装没有听见，跑得更快了。

❀ ❀ ❀

“哎哟——”在街角，我不小心和一个人撞了个满怀。

竟然又是夏天！

“你跑什么！”他也发现了我。

这时候，宝强哥的声音从远处传来：“叶子——叶子——你在哪里？等等我！”

“我在躲人，帮帮我！”我来不及解释具体的情况，只是恳求他。

夏天立刻明白了一切。他没有拒绝，而是拉起我向前跑去。我跟着他钻进了一个小角落。这是两幢房子之间的间隙，空间相当狭小，只够我们两个侧着身挤进去。

“这里的灯光这么暗，应该能躲过你那个什么强吧！”夏天小声地对我说道。

“原来这个你也听到了……你怎么知道他就是宝强哥？”我窘迫地问。

“感觉！”昏黄的灯光下，我看见他狡黠的笑容。

我正要说话，忽然听到宝强哥的声音临近了：“叶子——叶子——”

宝强哥好像跑累了，他停下来休息的位置正好在我们躲的那个小角落旁边。忽然，他似乎发现了角落里有人，朝我和夏天这边看了过来。我的心立刻悬到了嗓子眼，心里祈求着他千万别发现我们。

“亲爱的，我爱你！”这时候夏天忽然说话了，我吓了一跳，以为他要出卖我。没想到他转身用背对着宝强哥，然后他张开双臂抱住了我，做出亲吻的样子。

我一下明白了他的意思。他是想让宝强哥以为我们是在角落里接吻的情侣，这样就不好意思仔细地看我们了。

“他那么高大，应该可以完全挡住我的吧。”我在夏天的怀里不安地等待着。

终于，我听到夏天宣布：“他走了！”

我长吁一口气，但是瞬间又变得更加紧张。因为我这时候才发现，我和夏天居然离得这么近！为了做出亲吻的样子，我不知道什么时候，紧贴在了他的胸口上。我们之间离得好近，我甚至能够清晰地听到他的心跳，感觉到他的呼吸声。如果我们两个再往前一点点，就真的能够亲吻到对方了。

我站在原地，保持着原来的姿势。恍惚间，我觉得时间好像停止了。昏黄的路灯照在我们身上，我看到我们在地上的影子紧紧地贴在一起，看起来像是一个人。街道上人来人往的，我们这个小角落却好像与世隔绝一般。在这个小小的世界里，只有我和他，我很珍惜这一刻，这样的感觉。

过了好久，他好像也刚刚反应过来。我们这才迅速地分开，一起从角落里走了出来。他的表情有一些不好意思，我也有一点不知所措。

“你应该跟他说清楚的。”最后，还是他先开口说话，我们才打破了这个僵局。

我的心还在快速地跳着，平静了一下之后，我才说：“我也想说清楚，可是他是个好人，也很照顾我，我很怕自己会伤害他。”

“女人的缄默会让男人更受伤害。”夏天说，“做不成情人，可以试着变成朋友。有时候爱情可能只是一种错觉。”

“是吗？我会认真考虑的。不知道我要什么时候才可以遇到属于自己的爱情？”我喃喃地自言自语。

夏天大概以为我是在问他，坚定地对我说：“只要相信，就一定会拥有爱情的。”

我看着他，他也看着我，眼神里充满了真诚。

“嗯。”我认真地点点头，然后对他说：“对了，刚才谢谢你！你怎么会出现在这里的？”

“我不是刚搬到这里吗？就想在周围转转，熟悉一下环境。谁知道，又碰到了我们的心事女孩。好在这次，我不是醉鬼了，终于做了一次护花使者，哈哈！”说完，夏天吐吐舌头，调皮地笑了。

“你也会做这么可爱的表情吗？”我也笑了。

跟夏天告别之后，我回到家里。妈妈已经在家里等我了。

她看到我，很生气地问：“你上哪儿去了？宝强都没找着你？”

“我就出去透了透气。宝强哥出来找我了吗？我不知道啊。”我心虚地回道。

妈妈应该知道我在骗她，但并没有拆穿我。她只是说：“妈觉得宝强这个孩子真是不错，上进，和气，又孝敬长辈。”

“嗯。”我含糊地答应着。

妈妈又继续说：“妈妈知道你心气高，当初要不是为了你弟弟，你现在应该也是个大学生了。让你嫁给宝强，你觉得委屈了是不是？”

我惊讶地抬起头：“妈，原来你知道？”

“我能不知道吗？”妈妈叹了一口气，“老师都跟我说了，你肯定能考上个重点大学。可是你连个普通大学都没考上，我能不知道是怎么回事吗？可是我也没办法，家里就那条件……”

我连忙安慰妈妈："都是过去的事了，我早就忘了。"

妈妈却认真地说："可是妈妈没有忘记。就是因为这样，妈不能让你再受委屈。我看着宝强这孩子，虽然比不上大学生，但赚得倒是不少，人也靠得住。你嫁给他肯定只会享福，不会吃亏的。过日子，有钱还是很重要的。咱们家要是有钱，你也不会上不了大学。"

听了妈妈的话，我不说话了。

爱情真的是富人才能拥有的奢侈品吗？穷人就只能和自己不爱的人度过一生吗？穷人为了不挨饿受冻，只能向生活妥协，这就是穷人的日子吗？

晚上，我翻来覆去睡不着，只好打开电脑上网。我不由自主地点开了"荒野少女恨"。

博主又更新了。这一次的一组图片，是关于帝企鹅的爱情故事。每张图片都配了一段唯美的文字：

"因为一次默契的舞蹈，我们相遇。我们的爱情，是用生命写下的约定，是天地间最美好的巧合。"

"在世界上最寒冷的地方，我们用彼此的体温取暖。"

"我们的爱情里，只有短暂的相逢和漫长的等待。在一次又一次的望眼欲穿以后，我还是相信，你会回来。"

"你问我为什么能够挨过漫长的冬天？我说，因为我爱你。我问你为什么能够游过冰冷的海洋？你说，因为我爱你。"

"难道帝企鹅的生活就不艰难吗？在这么艰难的条件下，帝企鹅都可以坚持爱情，我为什么不可以坚持寻找自己想要的爱情呢？"回想着妈妈的话，又看看微博上的话，我心里矛盾极了。

不知道为什么，我忽然想起了夏天。我喜欢上他了吗？难道这就是汤圆圆经常挂在嘴边的爱情吗？可是，我们看起来是不同世界的人。他是大名鼎鼎的摄影师，而我只是一个小小的便利店女孩，我们之间，会有爱情故事发生吗？

❀ ❀ ❀

又是上班时间了，我在便利店的收银台前忙碌着。汤圆圆趁店长不在，正偷偷摆弄着她的新照相机。

忽然，熟悉的声音响起，是夏天的车子！

“他回工作室了吗？”我向窗外望去。我看见夏天的车停在马路的对面，他从驾驶室里走了出来。他看到了我，我刚想冲他笑笑，却忽然看见——副驾驶的门打开了，走出来的人是Flora。

“他们又复合了吗？这么快！”我的笑容在一刹那间凝固了。

Flora好美，比照片上还要美十倍。和她相比，我简直就是一只丑小鸭。我低下头，沮丧地想着。这个世界上最残酷的事情，就是有一个如此强大的情敌。然后我自嘲地笑了，我哪里够格拿Flora当情敌呢？夏天爱的人是她，而我不过是夏天众多倾慕者中的一个。我和夏天只见过几面，甚至连朋友都算不上。

这时候，不知道从哪里冲出来一堆记者，把夏天和Flora围住了。闪光灯不停地闪着，夏天牵着Flora的手，面对着镜头露出幸福的微笑。

“请问你们之前为什么要隐瞒恋情？”一个记者问。

夏天看了一眼Flora，说：“之前是我想低调一些。现在既然大家如此关注我们，那么就请大家一起见证我们的幸福好了！”

不知道为什么，我觉得夏天说这句话的时候看了我一眼。

❀ ❀ ❀

“叮咚”，门铃响了。

一个拿着相机的人走了进来。

他走到收银台前，拿出一个像是录音笔的东西，对我说："你好，我是《娱乐周刊》的记者。我能采访你几个问题吗？"

"可……可以……"这是我第一次接受记者采访，有一点紧张。

他笑着说："你别紧张，我就是想问一问，夏天是住在对面的那栋房子里吗？"

"是。"原来是想要了解夏天的情况。

那个记者又问："他是什么时候搬过来的？"

汤圆圆发现有记者在采访我，连忙过来凑热闹："就在前几天，刚搬来没多久。"

记者问："夏天每天都住在这里吗？"

"是的。"我肯定地回答。每天晚上，我都会看一眼夏天家的窗户，他的灯总是亮到很晚。

"哦。那你们看到Flora经常来找夏天吗？"那个记者想了一下，又问。

"好像没见过Flora来……"我刚要回答，感觉汤圆圆掐了我一下。我不知道她是什么意思，但也马上不说话了。

汤圆圆代我说下去："我们也没有太留意，不是很清楚。"

但是那个记者显然已经认定了我的话，他低头小声地嘀咕："分开住？那就是分手了？现在这样假装恩爱，一定是演戏！哼，我一定要抓到你们做戏的把柄！"

说完，他抬起头对我说："谢谢你啊。再见！"然后就风风火火地冲了出去。

我有一点茫然，问汤圆圆是怎么回事。

汤圆圆说："来挖夏大帅哥和Flora的八卦呗。他刚才明显是在套你话，咱们要是说错话了，可能会对夏大帅哥不利。"

我心里"咯噔"一下，连忙仔细地回忆了一下自己说的话，好像没什么问题。但是我仍然有点担心，万一我说错话了，会给夏天带来麻烦吗？

“叮咚”，门铃又一次响了。这次进来的人是张爷爷。

我拿出一份《参考消息》递给张爷爷，看了看张爷爷的身后，没有看到张奶奶。我问张爷爷：“张奶奶今天怎么没来？”

张爷爷叹了一口气，说：“唉，她最近身体不太舒服，医生让她多留在家里休息。”从张爷爷的语气里，我听出一些不好的预兆。

我连忙安慰张爷爷：“张奶奶平时身体那么好，她休息休息就会没事的，你放心吧。”

张爷爷却忧虑地说：“她这次这个病，不知道还能不能好了……”

这时候，张爷爷看到汤圆圆手里拿着一个照相机，不由得多看了两眼。他说：“现在拍个照片真容易，当年可难哪。我和老伴结婚的时候，连张结婚照都没有。张奶奶每次都说这是她人生最大的遗憾！唉——”

我听了，也有一点伤感。忽然，我抑制不住心里的冲动，对张爷爷说：“张爷爷，等哪天奶奶身体好一点了，我一定帮您跟张奶奶拍婚纱照，拍最美的婚纱照！”

“真的吗？”张爷爷看着我。

“嗯。”我点点头。

“那太好了！谢谢你，叶子。我这就回去告诉我家老太婆，她听了一定很高兴。”张爷爷拿着报纸开心地回家了。

看着张爷爷孤单离去的背影，我在心里下定决心：“我一定要学会摄影，给张爷爷和张奶奶拍出最美丽的婚纱照。”

“该怎么开始学习呢？”我最先想到的是“荒野少女恨”的微博。

打开“荒野少女恨”，一张照片蹦了出来。那张照片的名字叫“猫狗依偎”。博主在微博里说：“拍它们的时候，我很幸福。”

我连忙向博主留言请教：“怎样才能拍出幸福的感觉呢？”

博主没有回复，应该不在。我望向对面楼上夏天家的那个窗户，有一点发呆。

这时候，汤圆圆看着我，问：“叶子，你和宝强哥的事定了吧？”

我不知道该怎么说，只好含糊地回答：“嗯。”

她又问我：“到底定了还是没定？”

我还在看着夏天家的窗户发呆，恍惚地回答了一声：“啊？”

汤圆圆顺着我眼睛看的方向看过去，瞬间明白了什么。她跟我说：“叶子，不管你到底喜欢谁，不喜欢谁，都要勇敢说出来！”

我看着汤圆圆鼓励的目光，迅速地摇了摇头：“我们根本就是两个世界的人。再说，他跟Flora已经复合了。”

汤圆圆摆出一副恋爱专家的姿态，拍拍胸脯跟我说：“放心，所有关于爱情的美好与苦痛，我都能帮你解决。你就尽管追求爱情，享受爱情吧！”

我正要说话，这时候计算机发出“叮咚”的声音。原来是“荒野少女恨”的博主回复我了。他说：“幸福的人才能拍出幸福的感觉。”

汤圆圆凑了过来，看到微博的回复，她问我：“你想学摄影？”

“嗯，我想帮张爷爷和张奶奶拍婚纱照。”我告诉她。

汤圆圆兴奋地说：“有啦。对面楼上那个大帅哥不是摄影师吗？你可以去找他教你拍照啊！说不定，一来二去，你们就产生小火花了呢？”

我还是摇头：“不要！再说，我连相机都没有，怎么学？”

汤圆圆看到我惆怅的表情，哈哈一笑：“照相机，我不是有一个新的吗？借你啦！”

“这怎么行？”我不肯接。

汤圆圆神气地说：“哎呀，这是一个追求我的男生送给我的！他真是不了解我，本小姐的相机啊，化妆品啊多得用不完。来，这个先借给你！”

我这才从汤圆圆手里接过照相机，心里想着她刚才说的话：“我自己在这里瞎琢磨，不知道哪天才能学会摄影。也许我真的应该去找夏天教一教我。做不成情人，可以试着变成朋友嘛。这是夏天自己说的。”

于是我鼓足勇气，准备去他的工作室找他。

PART 4

夏天

满满的幸福感让我来不及开口。

就在那个时候，我，开始喜欢你……

离心力定律：
当你想拉住我的时候，我已经想要离开。

终于被记者拍完，Flora立刻出门开工去了。我一个人坐在工作室里抽烟，顺便发一会儿呆。

“呼呼”，这时候有人敲门。

“Flora，你又忘带什么啦？”我一边大声答应着，一边打开门。

门打开了，站在门外的竟然是叶子。

“是你？有什么事吗？”我有一点意外。

“我是来……哦对了，告诉你一件事，刚才有一个记者来我们店里，问了我们你跟Flora的事情。”叶子说。

我故意用轻描淡写的口吻说：“就这件事吗？我知道了。”

“还有一件事，”叶子的表情突然很复杂，有一点痛苦，又有一点不好意思。她支支吾吾地说，“我……我……你……你……”

“什么我啊你的，有什么事情就说啊。”我着急地问她。

她却把头低得更低了，继续支吾地说：“我……我喜欢……”

“什么？”我追问。心想，她不会是来表白的吧。

这时候，叶子喃喃地说道：“我……我一直很喜欢摄影……你……可以教我吗？”

“对不起，我最近很忙。”我拒绝了她，然后我迅速地关上了门。透过门上的猫眼，我看到了叶子脸上绝望的神情。她愣愣地站在门口，一颗眼泪从她的眼角滑落。

她一定下了很大的决心来找我吧？那颗眼泪有一些刺痛我。我其实很想教她，可是我只能拒绝她，这也是没有办法的事情。现在所有的记者都在盯着我和Flora，我不可以把叶子牵扯进来，这样对她不公平。

我跟Flora并没有闪电复合，在记者面前演的那出戏，只是为了帮她。

昨天晚上，把叶子送回家以后，我也回到了工作室。

在楼梯口，我发现了一个人——Flora。

Flora不知道什么时候到的。我看到她的时候，她已经坐在楼梯上睡着了。我走过去，看着Flora。她还像从前一样，睡着的时候，总是习惯把自己蜷缩成一团。这样的她看上去一点也不像大明星，反而像是一个可怜兮兮的小女孩，让人忍不住想要心疼她。

我开了门，想把她放到床上去睡一会儿。没想到，我才抱起她，她就醒了。她疲倦地看着我，说："你终于回来了！"

"怎么不给我打个电话？"我问她。

"你不喜欢我催你的。"Flora温柔地说。

我又问她："发生什么事了吗？"

凭我的直觉，如果没有什么大事，她应该不会来找我。因为遇到什么事情，她总是喜欢自己扛着，也不会轻易向任何人认输，或者求助。

Flora环视了一下我的新工作室，她的脸上露出满意的表情。

洗手间里只摆了一个牙杯，卧室里枕头只有一枚。看到这些的时候，Flora露出了放心的表情。她以为自己做得足够隐秘，其实我全都看在了眼里。她一定是在通过这些确认，没有她的"情敌"出现在我的周围。有的时候，Flora这样的小倔强，相当地可爱。

她仍然保持着温柔的语调："没什么事，就是想来看看你。看到你的新工作室很不错，我就放心了。换个新环境也好，谁都需要一点新鲜。”

“嗯，我挺好的。”我笑着说。

我们已经很久没有像这样平和的对话了。我甚至有一点沉醉在这样的气氛中。

Flora却忽然说：“好了，看到你好好的，我就可以回去了！”

她什么事情都没有说，我也就没有追问她。我知道，她不想说的，我也问不出来。

把Flora送上出租车之后，我立刻拨通了她的助理杨杨的电话：“喂，我是夏天。Flora出什么事情了吗？”

杨杨听到我的声音有一点吃惊。她告诉我，自从在发布会上，Flora嘲笑《娱乐周刊》的记者不懂新闻真假，那个记者就怀恨在心。他不知道从哪里拿到了我和Flora的合影，就发了条新闻说“Flora隐瞒自己有男朋友的事实，严重欺骗粉丝的感情”。

我问杨杨：“你们公司现在打算怎么处理？”

“这件事情很棘手，现在好几个广告客户都向我们施压。如果你和Flora可以公开恋情，大秀恩爱，那么还有可能获得公众的谅解。如果这时候向大家宣布你们已经分手了，那对Flora会更加不利。”杨杨这样告诉我。她的语气很沉重，看来这件事情影响真的很大。

“要我怎么做？”我问。

杨杨说：“明天，我们会通知记者到你的工作室楼下。你和Flora十指紧扣幸福地出现就好了。”说完这句之后，杨杨又说：“谢谢你，夏哥。Flora之前那样伤害你，你还……”

我打断了她：“无论什么时候，我都会帮她。”

今天早晨，一切都按照我们事先安排好的计划进行着。有人事先通知了记者，我去我们原来的房子里把Flora接了过来。然后，面对记者和粉丝，我们仍然保持着情侣的样子。

在镜头面前，我牵着她的手，亲吻她的脸颊。其实这有一点夸张，就算真在一起的时候，我们也不习惯在公众场合这样大秀恩爱。好在记者们很喜欢这样抢眼的照片，公众也不算太挑剔，Flora的危机公关进行得很顺利。我不想再节外生枝，所以，我必须拒绝叶子，尽管我其实很不想这样做。

我坐在工作室的窗户旁边，看着对面一楼的便利店，默默地发呆。透过便利店的窗户，我隐约可以看到叶子在便利店里忙碌的身影。其实，我也不知道看到的到底是她，还是那个汤圆圆。只是不知道为什么，我的心里总是惦记着她。也许是因为刚才拒绝她以后，心里有一点内疚吧。

这时候，我看到叶子从对面的便利店里走了出来，手上还拿着一个相机。我看了看时间，到他们店里的午休时间了。

“她想干什么呢？”我看着她。

楼下，叶子握住拳头，对自己做了一个加油的手势。她那副认真的表情，还真是可爱！然后，她拿着相机，对着路边的绿化带试拍了两张，又对着街上路过的行人拍了两张。

“原来她想自学摄影啊！这个不愿意放弃的小丫头。”我笑了。

叶子似乎对自己拍的照片很不满意。她每次看照片的时候表情都很失望，还不停地摇头。“小丫头，要拍出好照片可不是那么容易的。加油了！”我在心里对她说。

那只叫小鲁的小狗不知道什么时候钻了出来，围在叶子身边激昂地叫着，仿佛在给她加油。大概是因为小鲁长得太可爱了，一对路过的情侣走到小鲁跟前，摸了摸它的头。

叶子不知道跟那对情侣说了什么，那对情侣居然给她当起模特来。两个人对着镜头互相做鬼脸，打闹，好不欢乐。

拍照的时候，我看到叶子忙得不亦乐乎。但是，看照片的时候，叶子的表情依然很失望。

“没关系的，多练习就好了。”那对情侣似乎在这样安慰叶子。

那对情侣走后，叶子一个人蹲在路边，好像在思考问题出在哪里。过了好一会儿，她忽然站起来，跟小鲁嘀咕了几句什么，就拿着照相机对准了小鲁。

“哈哈，原来拍不好人像，就找小狗来当模特啊！”我又被她逗乐了。不知道为什么，每次看到她我都觉得很开心。

“或许我可以假装去便利店买东西，顺便教她一下？”我在心里这样盘算着。

走到楼下的时候，我看见叶子正在追小鲁。

叶子一边追一边喊：“小鲁，你别害羞嘛，让我拍一张嘛！”

我猜肯定是小鲁没有见过照相机，被拍照时的闪光灯惊着了。

“这个笨蛋，拍动物，又是室外，不开闪光灯不就好了！”我摇摇头。

这时候，叶子追着小鲁已经来到了马路中间。我发现在离他们不远的地方，迎面开来了一辆卡车。卡车司机也看见了他们，司机一边按喇叭，一边踩刹车，情况十分危险。

“危险！”我来不及多想，一边大喊，一边跑过去，一把抱住叶子。我们一起摔倒在路边的草地里，那辆卡车从我们的身边呼啸而过。

“好险！你怎么那么不小心！”我故意很凶地说。

叶子很不好意思：“对不起，是我不小心。谢谢你救了我。”

她好像被吓着了，额头渗出细细的汗珠，脸也苍白得厉害，让人看着觉得好可怜。

我的语气一下子就软了下来：“我看看你的手，没有擦破吧？”说完，我拉着她的手看了看。只见她手掌着地的地方，有两道殷红的血痕。

“没事的，只是破了点皮。”她把两只手从我的手里抽了回去。

“怎么可能没事呢？伤口感染了可不是闹着玩的！去，你到街心公园的那个长椅上等着我，我去给你买创可贴。”我指着不远处的长椅，用命令的口吻对她说。

叶子还是拒绝：“不用，我还要回店里……”

“你还想不想学拍照？”我打断她。

“当然想。”叶子看着我。

我说：“那就去那个长椅坐着，等着我！手伤了还怎么拍？”

听我这么说，叶子才乖乖地往长椅的方向走去。

我买了创可贴和其他一些用得着的东西回到街心公园。叶子正乖乖地坐在长椅上等我。

不知道为什么，在一片绿色的包围中，她这片小“叶子”却显得格外鲜亮、清新。她不过是个普通的便利店女孩，可我每次看到她，总是有一种特别的感觉。

我走过去，半跪在叶子面前，用矿泉水湿了手帕，小心翼翼地帮叶子清理伤口。因为怕她疼，我清洗伤口的同时，还一边轻轻地吹着气。洗完伤口以后，我又替她在伤口上面敷了药，最后才贴上了创可贴。

我上药的时候，叶子一直看着我，她的眼神温顺得就像一只小猫，让人忍不住想对她好一点。

“好了。”我轻轻地说。

叶子愣愣地看着我说：“谢谢。”

我这才发现，她的脸涨得通红。

“这个小丫头，不知道在紧张什么。”我心里暗自觉得好笑。

为了让她放松，我故意很臭屁地说：“你撞坏了不要紧，可别撞坏了这些花花草草、猫猫狗狗的。”

叶子这才回过神来，忽然大叫：“啊！汤圆圆借给我的相机！不会撞坏了吧！”说完，她赶紧拿起手里的数码相机查看。

我对她说：“我来看看。”

叶子顺从地把相机递给了我。我拿过相机，仔细地帮她检查了一下，顺便把相机的各种功能都试了一个遍。

“没什么问题。”我告诉她。

叶子这才长出一口气。

我看着叶子，认真地问她：“你真的想学拍照吗？”

“嗯。”叶子重重地点点头。

我说：“那好吧，我收你这个徒弟了。”

叶子显然不相信自己的耳朵。她问：“啊？你说什么？”

我又重复了一遍刚才的话：“我收你这个徒弟了。”

叶子的脸上露出欣喜的笑容。她问我：“从现在开始吗？”

我故意皱了皱眉头：“这么急啊！”看她又紧张起来，我不忍心再吓唬她了，就说：“好吧，那就从现在开始，从这个街心公园开始！”

叶子拿着相机站了起来：“怎么拍呢？拍什么呢？我觉得我的技巧还很差很差……”她有点语无伦次，显然是太高兴了。

我告诉她：“ 摄影，第一要素决不是技巧！最重要的是抓住最美的瞬间。要做到这一点，你必须通过观察了解，深入每一个景物、每一个人物的灵魂深处。”

叶子认真地听着，猛地点头。

“来，你来拍一拍这棵树，试着从这个角度来拍。”我指着一棵垂柳对叶子说。

我才转过头去看着叶子，就听见“咔嚓”一声响。原来叶子在我身后偷拍我。

拍完之后，叶子放下相机，调皮地看着我笑。

我也笑了，说："来，给师父看看，你拍得怎么样？"

按下"回看"的按钮，我看到了叶子镜头下的我。阳光很好，背景里的一排垂柳也绿得亮眼。我站在阳光下，手指着那排垂柳，脸上露出笑容。我一下子愣住了，照片里的我，笑得好惬意。记忆中，我只有在上大学的时候，才有过这样的笑容。自从我成为了别人口中的"夏大师"，就再也没有像这样惬意地笑过了。

一瞬间，我有一些感慨。

"师父，我拍得好吗？"叶子问我。

"相当不错。整张照片的构图浑然天成，80分！"我笑着告诉叶子。

这时候，一辆冰激凌车经过我们的身边。那辆冰激凌车装饰得五彩缤纷的，叶子和小鲁的目光不由自主地被它吸引了。他们两个痴痴地看着冰激凌车，一直在咽口水。

我不由得露出浅浅的笑容，对叶子说："我请你吃冰激凌吧，算是对你80分的奖励！"

叶子急忙摆手："你今天救了我，应该我请你！"

"废什么话，男人请女人是天经地义的。"我赶紧拿出师父的派头来，果然叶子不跟我争了。

"老板，给我们来两个冰激凌。"我对老板说。

"好的，先生。你和你女朋友要什么口味的？"老板笑眯眯地看着我和叶子。

"我们不是……"叶子想澄清误会，我用手制止了她。

这种事情越解释越麻烦。何况，就算被误会了，也没什么大不了的。

"你要什么口味的？"我问她。

叶子站在各种冰激凌前，说："我想想啊……巧克力榛子的不错，樱桃口味的也很好，其实我最喜欢的是草莓味的……你要什么口味？"

我没有回答。在叶子还不知道选哪个的时候，我已经拿着一个草莓冰激凌在吃了。

叶子看着我，略带娇嗔地问我："你什么时候选好了？"

"就在你犹豫的时候啊。老板，再来一个草莓的！"我故意用取笑的表情看着叶子。

卖冰激凌的老板说："好！"

我接过另一个草莓冰激凌递给叶子。

我，叶子，还有小鲁，我们三个人坐在公园的长椅上。我和叶子在一口一口地吃着甜甜的冰激凌，小鲁在旁边看着我们。好久没有像这样，什么也不用想，什么也不用做，只是懒洋洋地晒着太阳了。

叶子看着地上的影子，忽然笑了："好像爸爸妈妈带着一个小孩呢。"

听她这么说，我也看了一下地上的影子。

"还真的有点像是一家人呢。"我心里这样想。然后，我自己也吃了一惊，"我什么时候也会有这种幼稚的想法了？不会是被身边这个傻丫头传染了吧？"

跟叶子在一起真开心，可是我必须回工作室准备一下了。因为晚上要陪Flora参加一个活动。

Flora告诉我，晚上要去参加一个酒会，是Flora代言的一个产品的厂商举办的。主办方当然没有特别邀请我去，不过现在我们的绯闻闹得这么红火，我去了他们当然更乐意。谁会拒绝免费的宣传呢？如果是从前，我肯定不会出席这样的活动。但是现在，为了Flora，我必须去。

我穿着一套阿玛尼的西服出门了，衣服是Flora帮我挑的。有她在，我永远不用担心自己的打扮不够时尚，不够有品味。

一走进活动的会场，闪光灯就闪个不停。记者们果然消息灵通，来得还真不少。我在心里替Flora开心，因为这至少说明，Flora的当红程度没有受到影响。来的路上，我也已经从杨杨那里听说，Flora原来的那几个广告都没有丢，而且还新接了几个电视剧。Flora不仅聪明而且勤奋，如果有一天她成为时尚界甚至娱乐界的天后，我不会觉得奇怪，这都是她应得的。

不停地有人来向我们碰杯："Flora，你和夏天真是金童玉女呀！"

"谢谢。"Flora显然很开心，我看到她的脸上泛着好看的红晕。她已经很久没有这么开心过。看到她这么开心，我也放心了。

这时候，一个胖胖的老男人走了过来："哎呀，Flora，你终于来了。好久没有见到你了，还真是想你。"他一把拉住Flora的手，死死地拽在自己手里，完全不把站在Flora身边的我当回事。

"王总，我们上个月不是还一起吃过饭吗？您真是贵人多忘事。"Flora笑着回答。她感觉到我的不满意，试图把自己的手抽回来，但是没有成功。

老男人继续说："对对对！就是我们签这个代言合同那次，不过那也已经过了很久啦。Flora小姐什么时候再赏脸，跟我吃个饭啊？"

Flora客气地说："好呀，改天我再给您打电话。"

说完这句话，她忽然拉过我，对那个老男人说："王总，给您介绍一下，他是我男朋友夏天，国内知名摄影师。"

老男人没有跟我说话，而是半开玩笑地跟Flora说："你都有男朋友啦？我还想金屋藏娇呢，看来Flora小姐不给我机会啊？"

我也是男人，他的弦外之音我会不懂吗？如果不是因为有记者在场，我一定会把这个猥琐的男人揍一顿。

Flora却没有生气，她略带撒娇地说："王总，您就别取笑我了。我男朋友以后要是办个摄影展什么的，还请王总多多支持啊。"

"原来是要我赞助啊？没问题。到时候Flora小姐多陪我喝几杯，什么事情都好商量。"一提到钱，胖胖的老男人嗓门更大了，我却打心眼里看不起他。

"这个自然。"Flora的笑容依然优雅，"记者会要开始了，我去补个妆。你们聊。”Flora匆匆离开，留下我和那个老头站在一起。

胖老头看着我的眼神变得有一些戏谑和鄙夷。

“小白脸！”他抛下这三个字以后，趾高气昂地离开了。

我的拳头攥得很紧，几乎就要挥向他的脸。但我还是忍住了，为了Flora，我必须在媒体面前保持冷静。

我走进Flora的化妆间，生气地对他说：“你给我介绍的是什么人啊？我不需要他的赞助！”

“别耍小孩子脾气！你以后要自己办工作室，开摄影展，少不了需要赞助商。你管他是什么人，到时候他肯掏钱不就行了。”Flora对我的气愤没有太多的反应。

“我不要！你陪酒拉来的赞助，我宁可不要！”我吼道。

Flora愣了：“我是为了你好，你以为我想理这种糟老头子吗？”

“为了我好？你知道他说我是什么吗？小白脸！”我依然很激动。

这时候，Flora的助理杨杨推门进来，说：“Flora姐，天哥，记者会马上就要开始了。你们出来吧！”

我和Flora同时沉默了。

我叹了一口气，对她说：“走吧，先去开记者会！”

她亲了我一下，说：“夏天，谢谢你。我就算做错了事，那也是因为我爱你。”

“我知道。”我微笑着说。

我和Flora一起走出了化妆间。她走到了主席台，而我则在工作人员中间站着。

记者们象征性地问了几个关于代言产品的问题，就开始绕向了别的方向。现在的时尚圈，几乎已经算是半个娱乐圈。没有人会关心你代言的产品，公众和记者都只把焦点放在你的八卦和私人生活上。

“Flora，有传闻说，你和夏天现在是在演戏，其实你们已经分手了，是吗？”是《娱乐周刊》的那个记者。

为什么第一个提问的会是他？这个人还真是冤魂不散啊。我微微皱了皱眉头。

Flora的脸色只是微微地有些变化，除了我，大概没有人能够察觉。很快，Flora就恢复了优雅的微笑，她说：“谢谢媒体和粉丝的关心，我们不但没有分手，而且已经打算结婚了。至于婚期，等我们定下来以后，再通知大家。”

“我们打算结婚？”我心里一惊，狐疑地看着Flora。她是在演戏，还是认真的？我不知道。Flora却很平静，她用眼神示意，私底下再向我解释。

只不过，那个《娱乐周刊》的记者没有再说话。Flora这一招果然有效地封上了他的嘴巴。

✤ ✤ ✤

“我们什么时候说过要结婚？”一坐进车里，我就生气地问Flora，“事实上我们已经分手了，这一点我们总有一天要让公众知道。”

Flora没有立刻回答我，她只是幽幽地跟我说：“我们先去一个地方，到了那里再说，好吗？”

我强压着心里的郁闷，按照Flora指的路，把车开到了一家店门口。

这是一家婚纱店。

我疑惑地看着Flora，她只是催促我说：“我们进去吧。”

到了店里，Flora让店员招呼我在贵宾室里休息，说自己要找老板谈点事情。我只好坐在那里，要了杯咖啡，百无聊赖地等她。

等到Flora再出现的时候，已经换了一袭白色的婚纱。

那件婚纱很美。虽然我见过很多知名设计师的作品，但我还是觉得Flora穿的这件婚纱美得惊人。丝质的绸缎有着牛奶般的质感，蕾丝的花边勾勒出女人的娇柔。除此之外，整件婚纱再没有多余的元素。这才是最完美的婚纱，用纯粹的白色代表着最纯洁的爱情。

Flora穿着这件绝美的婚纱，走到我面前。

然后，她在我耳边，用最温柔的声音对我说：“夏天，这是我给自己定制的婚纱，我想在我们的婚礼上穿它。我们结婚吧！”

我有一点陶醉，但更多的是恍惚。

“这太突然了。”我呆在原地。

“夏天，我知道，这段时间发生了很多事情。但正是因为发生了这些事情，才让我知道自己有多爱你。我知道你也还爱着我，不是吗？既然是这样，我们为什么不可以结婚呢？”Flora对我说，她脸上的表情很认真。

结婚这件事情，我们不是没有提上过日程。我曾经向Flora求过两次婚，一次是在北海道，一次是在夏威夷。这两次，Flora都对我说了同一句话：“我们都还年轻，再给我几年时间打拼吧。反正我这一辈子剩下的时间都是你的。”我知道，那时候的Flora并不想结婚。

但是这一次，不想结婚的那个人变成了我。

我说：“再给我一点时间考虑，可以吗？”

“为什么？你不是一直想结婚吗？”Flora显得有点意外。

“我先去一下洗手间。”我找了个借口，仓皇地离开了。

“夏天——”Flora呼唤着我的名字。

我没有回头。

我曾经固执地以为，Flora注定是我的新娘。但是原来没有什么是注定的。Flora刚才穿着婚纱走出来的时候，第一时间在我脑海中浮现的，不是幸福与甜蜜，而是Flora对记者宣布“我们不是情侣”时，我心中泛起的那一份酸楚。

对于Flora来说，最近的事情也许只是一个考验，让她认清了我们之间的感情。但是对我而言，有些事情就像是一面镜子，照出了我从来不敢正视的距离，我和Flora之间的距离。

“也许我们只能说再见了。”我伤心地想着。

爱情契约：
如果我们都不小心投入了感情，
契约的期限还是一个月吗？

心情依然是灰色的。

我看了一下时间，中午12：30.

“现在叶子他们店里应该在午休，我去教她拍照，顺便散散心吧。”这么想着，我连忙换好衣服走下楼，用最快的速度来到了叶子的便利店。

“走，我教你拍照去！”看到叶子，我迫不及待地说。

叶子看见我也很开心，她急冲冲地说：“你来得正好，我正好也有事情要跟你说。”

“你要跟我说什么？”我问。

叶子刚才还一副很着急的样子。我问她问题的时候，她却突然磨蹭起来，似乎是不好意思。最后，她终于还是鼓足勇气说了出来：“我想拍婚纱照！”

我吃惊地问：“你要和那个什么强结婚啦？”

“不是，不是，”叶子急忙辩解，“我想和你拍婚纱照。”

“啊？”我一下子被她弄糊涂了。

“不是，不是，”叶子的表情更加窘迫了，“我想和你一起给张爷爷、张奶奶拍婚纱照！”

原来是这样。我问叶子：“张爷爷、张奶奶是你那天晚上说的，经常一起到便利店买东西、一起牵着手过马路的那对夫妻吗？”

叶子听我提到她对我讲心事的那天晚上，有一点不好意思。她说：“对，就是他们。张奶奶生病了，不知道还能不能好。张爷爷说，张奶奶有一个心愿，就是拍一套漂亮的婚纱照。”

“怪不得你这个笨手笨脚的丫头忽然想学摄影，还练得这么努力，你想帮他们实现愿望，对不对？”我问叶子。

“嗯。”叶子点点头。

“哈？你？你拍得这么差，还敢答应给人家拍婚纱照？”我总是忍不住想要逗她。

谁知道，叶子却快要哭了：“我知道……我笨……我拍得不好……张爷爷……今天告诉我……张奶奶的身体……越来……越差了……问我……什么时候……可以拍照……”

“你，你别哭嘛，”我一下子有点慌张，“我刚刚跟你开玩笑的。我来给张爷爷和张奶奶拍照就是了！”

叶子一听，一下子破涕为笑，高兴地跳了起来：“那太好啦！我就是想跟你说这件事情。可你拍照应该很贵的吧？我一个月的薪水，不知道够不够？要是不够，我以后再分期还你！”

“为什么要给我钱？我拍照又不是为了钱。你别想一个人做好事，必须带上我。”我真诚地对叶子说。

“哇，太好了！那你哪天有空啊？”叶子开心地问我。

“哪天都可以，只要张爷爷、张奶奶有时间。”我回答。然后，我想了想，对叶子说：“不过你也要答应帮我一个忙。”

“你说，要我做什么都可以！”叶子还沉浸在兴奋中。等她稍微冷静下来，马上又加了一句：“不过，太丢脸的事情可不行。”

我笑了：“放心吧，绝对不丢脸。我想让你做我的女朋友！”

“啊？”叶子的脸一下子涨得通红，“你说什么？”

“不是真的，你帮我演几天戏就好。Flora向我逼婚，但是我不想那么快结婚。”我连忙解释。

“原来是这样。”叶子回答的声音忽然变得很小，她好像有心事。

“你想什么呢？”我弹了一下她的额头。

叶子这才回过神来，说：“我在想，你们男人真不知好歹，人家一个大美女，跟你在一起那么多年，现在主动要求跟你结婚，你还不愿意！”说完，她佯装生气地看着我，我知道她也学会故意挤兑我了。

但是我决定认真地回答她：“我也不想这样。原来我也以为我肯定只会和她结婚，但是最近我才发现，我们已经远得都快不认识彼此了。你说，这样的两个人，要怎么结婚呢？”

说完这句话的时候，我的心情糟糕透了。毕竟，要亲口承认这么多年的感情不再了，是一件很难的事情。

叶子看我的情绪有点不对，连忙转移话题：“好吧，我知道。那我要假扮多久？”

“嗯……一个月？”我试探性地问。

叶子爽快地答应了：“好吧。一个月就一个月，我答应你。”

早晨的阳光刚刚照到我的眼睛里，叶子就给我发来了短信：“冒牌男友，可以请你帮个忙吗？”

我微笑着给她回复：“什么忙？说吧。”

“我想去参加一个活动，给妈妈赢结婚礼物，你陪我去吧。”

“好。”我答应了叶子，反正今天正好休息。

我和叶子一起来到天隆购物广场的卡天亚专卖店。

到了那里，叶子告诉我，今天卡天亚有一个“完美情侣 完美对戒”活动。参加活动的人如果获得“完美情侣”的称号，就可以得到一对卡天亚的铂金对戒。

原来是要在在公共场合玩弱智游戏，我有一点怵。于是，我对叶子说：

“这对戒也不贵，要不然我买一对，送给阿姨好了。”

“不行，”叶子认真地说，“自己努力赢来的，才会觉得更珍贵。”

“那好吧。”看到她这样的神情，我的那些原则立场在一瞬间通通都融化了。我只好乖乖地答应她。

跟我们一起比赛的一共有五对情侣。按照报名的先后顺序，我和叶子排在3号。

叶子看了他们一眼，握着拳头，对我说：“冒牌男友，A ZA A ZA fighting！”

“A ZA A ZA是什么意思？”我不解地问。

叶子一下子乐了，神气地说：“哈，原来也有你不懂的东西呀？你没有看过《浪漫满屋》吗？这是韩语，和fighting一样，也是加油的意思。”

“哦。”我这才明白过来。

果然所有的小女孩都爱看韩剧。

一个戴着眼镜的主持人走上台来，宣布今天的活动正式开始。活动的第一个环节是“心有灵犀之一问两答”。

“每问一个问题，如果男生和女生的答案一样呢，我们就加分。分数排在前三名的，可以参加我们接下来的环节。五对小情侣，你们明白规则了吗？”主持人用夸张的声音问道。

“明白了。”情侣们回答。

台上的五对情侣都在摩拳擦掌，看上去信心十足。

主持人继续说：“好，那我现在就开始问问题啦。各位小情侣听好了！第一个问题是，你们第一次见面是在什么地方？”

“好简单啊。”有人小声地说。

这个问题的确不算难。我开始回忆，我跟叶子第一次见面是在哪里呢？当然是在街边，我开着车，差一点撞到了她和小鲁。回想起当时的情形，我不禁笑了。

我看了叶子一眼，她也正好看着我。眼神交汇的那一瞬间，我们的脸上同时出现了默契的笑容。

“好，时间到了。我们来看1号情侣的答案。”主持人念出第一对情侣的答案：“男生的答案是学校，女生的答案是图书馆。嗯？怎么不一样呢？”

1号情侣的男生赶紧抢过话筒解释说：“我们第一次是在学校的图书馆见面的。”

他说完以后，所有的人都笑了。

“哦，是这样的。但是你们这个答案好像不能算一样，不然后面的选手会觉得不公平。”主持人笑着给出了分数，“1号情侣，第一个问题不得分。”

听到这句话，1号情侣中的女生立刻不高兴了，对男生说：“都怪你，干吗要写学校那么大的地方，写细一点会死啊。”

男生一脸的无奈：“我也不知道你会写这么细啊。”

主持人看到他们有要吵架的架势，连忙劝道：“一道题而已，之后还有机会嘛。完美情侣可不能吵架。”

两个人不说话了，背对背地站在一边赌气。

叶子悄悄跟我说：“那个女生也太想赢了吧？这样都要生气。”

我笑笑，没有说话。相比起来，叶子的确没有那么容易生气，她是个温柔的女孩子。

接下来，主持人又看了2号情侣的答案，两个人写的都是电影院，得到一分。主持人还调侃他们：“第一次见面就上电影院呀，好浪漫。”

主持人走到我和叶子身边。他看着我，忽然说：“3号男生，有观众向我爆料，说你很像国际明星Flora的男朋友夏天。”

叶子的手立刻握住我的手，她大概很怕有人发现我们是假冒情侣。我却很镇定，假装很兴奋地说："对对对，经常有人把我错认成他，长了一张明星脸的好处，就是容易让人印象深刻，哈哈。"

我故意笑得很大声。假装不是夏天这种事情，我已经干得轻车熟路了。

主持人听完我的回答之后，就拿起了我们的答案板。终于要看我和叶子的答案了。

主持人先翻开我的答案，我写的是"街边"。

我看到叶子笑得很开心，就猜到她肯定也是这么写的。果然，她的答案也是"街边"。

"3号情侣也可以获得一分。"主持人大声地宣布，接着她把话筒递到叶子面前，问她，"3号女生可以跟大家分享一下，第一次见面的情景吗？"

台下围着这么多人，叶子显得很紧张。我连忙轻轻地拍了拍她的后背，想让她放松一点。没想到主持人正好看到了我的动作，他笑着说："3号女生，你男朋友很体贴啊。"

叶子羞涩地笑了笑。接着，她开始拿着话筒，讲起我们第一次见面的场景："那天，我正在街边喂流浪狗。他开着车子，差一点撞到我们，却没有道歉，反而一直在讲电话。我当时觉得很讨厌，心想：这个人也太傲慢无礼了吧。"

"原来是不打不相识。"主持人说，"3号男生快来澄清一下，当时为什么没有道歉呢？"

我接过麦克风，说道："其实当时我也很担心吓到他们，但是因为正在和电话里的人吵架，所以没有顾上道歉。我可不是傲慢无礼的人！"我看着叶子，冲她眨眨眼睛。

叶子看到我眨眼睛，被我逗笑了。

主持人立刻说："3号情侣真是很幸福的一对啊，预祝你们能够成为今天的完美情侣。"

✿ ✿ ✿

五个问题比下来，我们和1号情侣的得分竟然相同，而且是并列第三名。出现了这样的情况，主持人只好说："那我们加赛一题吧。"

"好。"我们和竞争对手都表示同意。

主持人想了一下，说："那么，就回答这个问题好了，你们共同喜欢做的事情是什么？写最喜欢做的一件。"

大约过了两分钟，主持人就让我们在题板上写下答案，并且放下笔。

他先是看了眼1号情侣的答案。男生写的是"看电影"，女生写的却是"逛街"。

主持人遗憾地说："对不起，你们的答案不一致。"

1号女生又不开心了，她指着自己的男朋友，生气地说："都怪你，这下赢不到对戒了！"

男生也有一点生气了，他说："是你只想着自己好不好？现在是要回答我们都爱做的事情，逛街只是你自己喜欢做而已。"

两个人虽然是小声地争吵，却越吵越厉害。我轻轻地叹了口气："不过是玩游戏，为这件事情伤了感情，值得吗？"

这时候，主持人已经走过来要看我和叶子的答案。

其实，主持人一说出这个问题，我就觉得我们可以赢。我和叶子最爱做的事情，当然是拍照了。果然，我的答案板上写的"拍照"，叶子的答案板上，写的是"照相"。

于是，主持人大声地宣布："3号情侣回答一致，得到晋级下一个环节的资格。"

他刚说完，叶子就开心地蹦了起来。她很想得到那对铂金对戒吧，我在心里想，我一定要尽自己最大的努力帮她实现这个愿望。

第一个环节就这样结束了，晋级的三对情侣，除了我和叶子，还有2号和5

号。这轮比赛要淘汰一对选手，剩下的两对情侣将进入最终的对戒争夺环节。

第二个环节的名字叫“爱情跳跳鼠”，就是把两个人的一只脚绑在一起，然后从舞台的一边跳到另一边。现场的场地清理完之后，工作人员把绑脚的绳子递给我们。

我和叶子一起蹲下来，认真研究着怎么才能把绳子系紧。叶子说：“一定要绑紧，不然中途松开了就麻烦了。”

“嗯，”我一边帮着叶子绑绳子，一边说，“一会儿开始比赛的时候，我来喊口令，我喊1，我们就一起跨绑住的那只脚。我喊2，就跨没绑住的那只脚。明白了吗？”

叶子点点头：“明白，我到时候听你指挥就是了。”

叶子很快绑好了绳子。

这时候比赛还没有开始，我们索性站起来练习了一下。

“1，2，1，2……”随着我的口令，我和叶子平稳地走着。

叶子忽然问我：“夏天，一会儿要是别人比我们快怎么办？我们还这么走吗？”

“要相信自己，我们的默契是最好的。到时候，我们按照自己的步调走就好了，不要管别人。”我这样鼓励叶子。

“嗯。”叶子回报了一个信任的眼神给我。

“三对情侣注意了，大家各就各位，比赛即将开始。”主持人拿着话筒发出了召唤。

我和叶子小心地走到起点前。

“预备——开始——”随着主持人的发令，三对情侣第一时间启动，以最快的速度冲向终点。

我立刻喊起了口令，“1，2，1，2……”我和叶子稳步向终点走去。

一开始，三对情侣几乎不相上下。走了大约五分之一路程的时候，5号情侣忽然放弃了原来的行走方式，改成单腿跳跃前进。因为这个改变，他们的速度一下子变得快了起来。转眼之间，已经领先了我们两步。

“我们要不要也跳？”叶子看到这个形势，有点着急，便小声地问我。

我仍然继续喊着口令，摇头示意叶子不要管他们。我心里有底，用跳跃的方法前进，可以暂时提高速度，但是会造成后期乏力。而且，跳跃时的剧烈拉扯，很有可能把他们绑脚的绳子拉松，到时候绳子就会掉下来。

我分析了一下形势，只要领先2号情侣，我们就能晋级。现在没有必要立刻采取这么极端的加速方法。

于是，我稍微加快了喊口令的频率，叶子也随之加快了她的步伐。不一会儿，我们都累得大汗淋漓，同时也把2号选手甩开了一段距离。

这时候，2号情侣大约也意识到了自己的危机，他们忽然也改成单腿跳跃。眼看着他们从后面慢慢地追上来，叶子抓紧了我的手。

我知道，她是在询问我，要不要也做出同样的调整。

我看了一眼，离终点大约还有三分之一的距离。这时候如果开始跳跃，绳子应该不至于被拉扯到松开。于是我跟叶子说：“听我口令，咱们改成单脚跳。”

“1，1，1，1……”随着我的口令改变，我和叶子也换成了单脚跳跃。我们和2号情侣的距离再一次拉开了。我稍稍松了一口气。

这时候，5号情侣的绳子忽然松了。主持人立刻在旁边说：“必须把绳子系紧，否则比赛成绩无效。”

于是，5号情侣只好蹲下来，用最快地速度重新系着绳子。等到他们系好绳子重新投入比赛的时候，我们已经超过了他们。

形势一片大好，我的心里一阵狂喜。

就在这时候，叶子忽然“哎哟”地叫了一声。原来，叶子被地上的一个小凸起绊倒了。我们俩随即一起倒在了地上。

倒下去的一刹那，我下意识地尽量护着叶子，最后她是压在我身上落地的。不过，她的膝盖应该还是碰出了瘀青。我身上应该也有不少伤口，但是已经完全顾不上了，因为现在正在比赛。

“快，叶子！”我扶着她站起来，准备重新开始比赛。

叶子却大叫：“你的手臂流血了！”

“不管了，比完再说！”我催促她。

但是，我们的位置，已经在一瞬间落到了最后一名。

“完蛋了，没戏了！”叶子绝望地大叫。

我喝住她：“不会的，我们拼尽全力，只要到第二就可以胜出的！来，继续，听我的口令！”

仿佛是被我的气势鼓舞了，叶子不再垂头丧气，继续全心投入到比赛中。

“1，1，1，1……”我重新喊起了口令，我和叶子重新开始了比赛。

我们一起努力，一点一点追赶，慢慢缩小着自己和对手之间的差距。离终点已经很近，给我们留下的时间已经不多，但是我们都不想就这样放弃。

我和叶子拼了命地往前冲，汗水很快流满了全身，带着咸咸的味道。

最后一刻，我们和2号情侣几乎是同时到达终点。到底是谁出线呢？我、叶子还有2号情侣，都紧张地望向主持人。

主持人为难地看着我们，他走到舞台旁边，和负责裁定结果的工作人员商量了一下。

等待的时间真是太难熬了。已经有工作人员上来给我们上药，但是我们的注意力却完全放在主持人身上。

“我们会赢吗？”叶子问我。

我老实地说：“不知道，不过我们已经做到最好了。不是吗？”

叶子却有点自责：“如果我不摔倒，就不会这么惊险了！”

我连忙伸出手抱抱她，想要传递给她安慰。

这时，主持人终于走到舞台中间，大声地说："经过工作人员的裁定，我宣布，3号情侣最终晋级。"

我第一时间抱起了叶子，在舞台的中央旋转了一圈。虽然惊险，但是我们总算是顺利来到了最后的环节。

主持人用激动的口吻宣布："接下来，我们进入今天的最后争夺环节'爱的亲吻'。两对情侣分别进行一次亲吻，由现场观众投票选出他们觉得最甜蜜的一对。"

我和叶子立刻傻眼了。

亲吻？我们只是冒牌情侣。我倒是无所谓，但是叶子这样传统的女孩，应该会觉得窘迫吧。

按照序号，先由我们进行这个环节，然后才是5号情侣。

"好，下面欢迎3号情侣进行爱的亲吻！"主持人说。

我和叶子面对面站着。

叶子羞涩地低着头，小声地说："你亲吧，没事。"她的脸上是一副视死如归的表情。

我不禁觉得好笑。这又不是上刑场，被我亲一下也不会怎样吧。

我走到叶子的面前，轻轻地亲吻了一下她的额头。叶子的头低得更低了，她脸上的微红就像是夏日里的蔷薇花。

看着这样动人的她，我竟然有一种想要好好深吻她的冲动。但是现在，她只是我的冒牌女友，我只能给她这样的浅吻。

"太没诚意了吧？"下面的观众中有人起哄。

接下来，轮到5号情侣亲吻彼此了。

5号男生深情地看着5号女生。然后，他端起了她的脸，深深地吻了下去。过了1分钟，男生才结束了这个美丽而悠长的吻。女孩看着他，眼睛里装满了甜蜜的感觉。

这时候，没有人说话，现场响起了掌声。

主持人走了出来："听现场的掌声，我们今天最后的胜者其实已经不言自明了。不过为了公平，我们还是进行一次投票吧。"

接下来的时间相当难熬。我和叶子已经几乎肯定了会输，却还要站在舞台上，等着现场的观众们来宣判我们的死刑。我揽着叶子的肩膀，悄悄地对她说："没事的，实在不行，我们自己买。"

我的安慰很苍白，叶子的笑容也很勉强。

我听到叶子在默默地祈祷："神啊，给我一个奇迹，让我能给妈妈一份珍贵的结婚礼物吧！"

这个世界上真的会有奇迹发生吗？

终于，主持人拿着现场投票的统计结果走向我们。5号情侣已经露出胜利的微笑。我和叶子则耷拉着脑袋，只想尽快离开这个地方。

主持人拿着话筒，一字一顿地说："我——宣布——今天——获得——完美对戒的——完美情侣是——"

就在这个时候，出人意料的事情发生了。

一个男孩突破了保安的警戒线，冲上舞台，大喊："小慧，你为什么和他在一起？"

5号女生的神色变得惊慌无比："家明，你……怎么……来了？"

叫家明的男孩冷笑了一下："我为什么不该来？好像我才是你的现任男友吧？"

他说完这句话，现场立刻发出嗡嗡的响声。所有人都在讨论，不知道这是怎么一回事。

5号女生和5号男生的脸都变得煞白。

5号男生把5号女生护在身后，看着那个叫家明的男孩说："家明，其实小慧早就想跟你提分手的事了，但是我们又怕伤害你，所以……"

"哈，笑话。你抢兄弟的女人就不怕伤害我啦？还有你，脚踩两只船就不怕伤害我啦？怕伤害我？凶手也会有同情心吗？"叫家明的男孩激动地说。

他正好站在离话筒很近的地方，他的声音通过扩音器，传到了现场所有人的耳朵里。人群里的议论更加大声了。

“原来是一对狗男女！”

“抢兄弟的女人，你也太不是爷们了吧！”

不停地有人大声起哄。5号情侣似乎想要解释，但最终在海潮一般的骂声中退缩了。

看到这种情况，现场的主持人立刻跟旁边的工作人员商量起来。两分钟以后，他重新返回舞台的中央，大声宣布：“5号情侣显然不太适合完美情侣这个称号，经过我们工作人员的商量，本期的完美情侣头衔最终属于3号情侣！我们恭喜他们！”

奇迹真的降临了吗？

直到现场的观众鼓起掌来，我和叶子才相信，奇迹真的降临了。

这样的结局太幸运了，我和叶子情不自禁地用拥抱来庆祝我们的胜利。

主持人继续说：“5号情侣下去再处理自己的家务事吧。下面我们为3号情侣颁奖。”

卡天亚的大中华区总裁走了出来，他身后跟着一名美丽的礼仪小姐，那名礼仪小姐手上的托盘里，放着一个首饰盒。我和叶子看着那个首饰盒，都有一种迫不及待的心情。

总裁先生慢慢地走到我们面前，笑盈盈地说：“一个英俊，一个美丽，果然是一对完美情侣。”他转身从礼仪小姐的托盘里拿过首饰盒。然后，他把首饰盒打开，一对款式极其简单，纯净的铂金对戒放在里面。

他对我们说：“这对戒指的名字叫纯爱。设计师赋予这对戒指的含义是，‘谨以这一对纯净的指环，把你我的过去、现在、未来连在一起，从今以后两人一世界。’希望这对戒指可以带给你们合二为一的世界，祝福你们！”

两人一世界，一戒生生世。戒指所承载的寓意是这样美好。

我和叶子看着这对戒指，心里洋溢着幸福、喜悦，还伴随着一丝甜蜜。

我还从来没有因为一对戒指，变得那么激动过。原来真的像叶子说的那样，自己努力赢来的，才会觉得更珍贵。

这时候，叶子偷偷问我："其实我们也不是真情侣，现在这样算不算撒谎呢？"

我笑着说："要不然，我们就做真情侣好了。"

叶子的眼里闪过一丝慌乱。

我连忙故作轻松地说："开玩笑的，冒牌女友小姐。"

叶子深深地看了我一眼，她眼神里的含义那样复杂。我看不懂。

"叶子，怎么啦？"我问。

"没什么。"叶子慌忙避开我注视的目光，端起我受伤的手臂，问我："疼吗？"

我回答："还好。"

她轻轻地揉了揉我的伤口周围，忽然变得含情脉脉。

"谢谢你，夏天。谢谢你帮我完成心愿。"叶子对我说。

叶子，你不用谢我的。看你达成愿望，是我最快乐的事情。

不知道为什么，

在一片绿色的包围中，

她这片小“叶子”却显得格外鲜亮、清新。

PART 5

叶子

是你让我了解，只要愿意相信，平凡的我也能与众不同……

山寨计划：冒牌的情侣，有时候也可以拥有真实的幸福。

“张爷爷和张奶奶怎么还没有来？”夏天已经摆好了摄影器材，问我。今天跟张爷爷、张奶奶约好了，要到公园里来拍照。

我赶紧又拨了一遍张爷爷家的电话，还是没有人接。我说：“家里没人接电话，应该已经出门了吧。”

“没关系的，老人家可能行动不方便。”夏天没有一点不耐烦，我感激地冲他笑了一下。

这时候，我的手机响了，是一个陌生的号码。

我有些疑惑地接了电话：“喂？”

“喂，是叶子吗？我是张爷爷，我现在在医院，你张奶奶刚才忽然又不舒服了。拍照的事……”说话的是张爷爷。

我连忙说：“没关系，您好好照顾张奶奶。我们下次再拍好了。”

挂断了电话，我告诉夏天：“张奶奶又住院了，今天拍不成了。”

夏天看了看一大堆的摄影器材，说：“那今天我就教教你吧。”

“太好了。”我开心地说。

为了拍照的时候人可以少一点，我和夏天特意挑了一个工作日来公园。我们两个一前一后地走在游人稀少的公园小路上。夏天在认真地找景、看景，我则有些拘谨地跟在夏天的后面。自从他说，要我做他的冒牌女朋友，我看见他的时候，心就跳得更加厉害了。

忽然，夏天在我前面蹲了下来。他在拍草丛中的一排野花，我连忙跟着他一起蹲了下来。自从上次偷偷拍下了他那张很帅的照片，我就爱上了偷拍他。但是这一次他拍得好快。我刚刚举起相机对准他，他已经拍完起身要走了。

“等……”我刚要叫住他，却又停住了。我决定不让夏天知道我总是在偷拍他，就把这件事当成我心里的一个小秘密吧。

夏天已经走出去好远，我连忙快步向他追过去。

因为走得太急，我的头发不小心挂在了树枝上。我不禁大叫了一声：“哎呀！”

夏天回过头来看到我狼狈的样子，赶紧跑过来帮我。他很自然地靠近我，伸手要帮我把挂在树枝上的头发理出来。

“啊，好痛！”我小声地叫了一下。

“啊？是吗？那我再轻一点。”夏天很温柔地说。

他很小心地摆弄着我的头发。我又一次感觉到他热热的鼻息，还有他砰砰的心跳声。天哪！这简直就像是在做梦。我好害怕梦醒了，自己又被打回原型。

“好了。”夏天对我说。这时候，他一低头，正好看到我痴痴的眼神，便问我：“怎么啦，丫头？”自从他收我为徒之后，跟我说话的语气亲昵了很多，这让我很开心。

“没，没什么。”我慌乱地回答。

夏天自以为明白了我的心事，他问我：“是不是自己拍得不好，怕我检查呀？来，给我看看你刚才拍的。”

“哦。”我连忙紧张地交出自己的相机。

夏天拿着相机认真地回看着我拍的照片。他席地坐在草坪上，单腿屈膝。阳光从树叶的间隙透过来，洒在他帅气的脸上。我痴痴地看着夏天，他真是太好看了！如果现在相机在我手上，我一定要把此时此刻的夏天拍下来。

他没有注意我又溜号了，指着我拍的一张照片，跟我说：“首先，要学会根据光线来选择取景的角度，第一个要掌握的就是侧顺光，你看这张。”

我连忙点头。

夏天又看到下一张，说："这张的构图还不错，但是你看光线……"

"但愿他不要发现，我拍的每一张都是他。"我在心里暗暗祈祷。

这时候，不远处忽然传来一阵嘈杂的人声。

"把我的钱还给我，你不要跑！"听声音，像是在街心公园卖冰激凌的老板。

我和夏天都不由自主地向那个方向看过去，一个拎着腰包的年轻人从我们的面前跑过。

"抢钱！有人抢钱啊！"卖冰激凌的老板大喊。原来，是刚刚那个年轻人抢了老板的包。但是老板因为要照顾自己的冰激凌车，不敢离开，只好大声地求援。

"你在这边待着！"夏天把手上的相机往我怀里一塞，拔腿朝那个年轻人追去。

"要小心啊！"我一边叮嘱他，一边焦急地跟着追了过去。

夏天又一次展现了他超级帅的一面。他以运动员一般的帅气姿势飞快地跑了起来，很快就追上了那个拎包贼，一把抓住了他的胳膊。没想到拎包贼也不是省油的灯，他回头就给夏天来了个凶狠的肘击。

"小心！"我大喊。

为了避开那个拎包贼的肘击，夏天急急地抬手挡了一下。虽然没受伤，但是却让这个贼脱了手，那个拎包贼又要逃。夏天连忙再次追上去抓住他，两个人扭打在了一起。

这时候我也已经追上了他们，看他们打得不可开交，我急得像是热锅上的蚂蚁。情急之下，我索性脱下了自己的鞋子，一把拍在那个拎包贼的后脑勺。那个拎包贼还真是不禁打，居然就这样被我打倒了。

"哎哟！"拎包贼倒在地上，痛苦地瞪着我。

夏天连忙趁势用一只手反扣住拎包贼的脖子，然后用另一只手按住他的两只手，把他死死地摁在地上。

“叫你不学好，竟然敢抢冰激凌老板的钱！这钱是老板辛苦卖冰才赚来的，你要钱自己去赚！”我大声地训斥那个拎包贼。然后从他手里把包抽了回来，还给了卖冰激凌的老板。

这时候，接到报警的警察也已经到了。夏天连忙把这个坏人扭送到警察面前。

“为什么警察总是在坏人被抓住以后出现呢？”看到拎包贼被警察带上了车，我和夏天终于松了一口气。夏天轻松地跟我开着玩笑。

然后，我们两个人对望了一眼，不由得都笑了。

原来为了抓贼，我们两个人都弄得灰头土脸的。夏天的脸弄脏了，衣服被扯破了，头发也乱七八糟，哪里还有半点王牌摄影师的范儿。我也很狼狈，鞋拿在手上，脚却光着，一点也不像个女孩子，简直丢脸到了极点。我们都被对方狼狈的模样给逗笑了。

我连忙掏出一块手帕，想给夏天擦一擦脸上的灰尘。

他没有反对。

“你还留着？”夏天指了指我手里的手帕。

我赶紧说：“哦？你的手帕？我早就洗好了，想说哪天还给你的。”其实，这块手帕被我放在身边很久了。我一直想要找机会还给他，却又总是有一点舍不得。

“无所谓的，一条手帕而已。对了，你的鞋打得好准啊！”夏天很快跳过了这件事情。

我自豪地说：“那是！我以前在餐馆打工的时候，很会打蟑螂的！”

夏天听我这么说，不由得大笑起来。

“这有什么好笑的！”我急了，说，“打蟑螂也是一种专长啊！而且我本来就不是那种柔弱的女生，我送过快递，洗过盘子，连通水管，换瓦斯我都会呢！”

夏天听我这么说，忽然不笑了。他说："你一个女孩子，做过这么多的工作啊？好辛苦。"他说话的时候，眼神里流露出疼惜。

有人关心，有人疼的感觉真好。

"是因为我是他的冒牌女友，他才对我这么好的吧？"想到这里，我心里又有一点失落。

"我去买瓶草莓牛奶。"夏天的声音把我从失落的情绪中拉了出来。

不一会儿，他就拿着草莓牛奶回来了。可是，他居然只买了一瓶，而且已经自顾自地喝上了。

"小气鬼，上次还说男人请女人是天经地义的事情……"我小声地嘟囔。

夏天看了我一眼，笑着说："上次在便利店，我喝草莓牛奶的时候你在笑，还以为你不爱喝呢。"

"那么久的事情你还记着，你故意报复我？"我抬起头，气鼓鼓地撅起了嘴。

这时候，夏天拿出另一瓶草莓牛奶在我眼前晃了晃，故意很大声地说："原来你也喜欢喝呀，我刚好买了两瓶，就分你一瓶吧。"

我这才明白过来，原来他是故意要逗我。

我连忙从他手里接过另一瓶草莓牛奶，对他说："我最爱吃的水果是草莓，最爱喝的饮料嘛，从今天开始就是草莓牛奶啦。"

夏天看着我，笑了，他冲我举了举手里的瓶子。我会意，也举起瓶子，和他碰了一下杯。虽然不是酒，但是我们都喝得十分畅快。

今天的草莓牛奶好甜。

也许，最重要的不是喝什么饮料，而是和什么人一起喝。

☘ ☘ ☘

夏天的天气真是说变就变。刚才还是阳光灿烂，现在却突然下起雨来。

豆大的雨点顷刻之间从天而降，弄得我和夏天都措手不及。

夏天连忙拉起我的手，往最近的屋檐下跑去。他的手掌好大，我的小手可以完全地放在他的手心里。透过他的手心，我感觉一阵阵的暖意传来。

离我们最近的可以躲雨的地方，就在便利店那边。我们刚跑到便利店旁边的屋檐下，就听见妈妈大声地喊我的名字："叶子！"

她刚刚喊完，宝强哥、高圆圆还有店长都从便利店里跑了出来。我立刻紧张起来，因为事情太突然，夏天还没有来得及松开我的手。

就这样，四双眼睛齐刷刷地盯着我和夏天牵着的手。我的手心开始不停地出汗。

"我和……你宝强哥……想来找你……继续商量……商量婚事，你们这是……"妈妈结结巴巴地问我。

"不是你们想的那样……"我急忙解释。

可是夏天却用劲握了一下我的手，小声地提醒我："你忘了我们的契约吗？"我一下子不知道该说什么了。

这时候，夏天主动开口跟妈妈说："伯母，我叫夏天，是个摄影师。叶子现在是我的女朋友了，还没来得及告诉你们。所以，她和这位宝强兄弟的婚事可以取消了。"

他居然说得这么直接！听夏天说完，我连忙看着宝强哥。宝强哥的眼里蒙了一层雾，看上去表情有点不对劲。

宝强哥身边的汤圆圆听到夏天这么说，却开心地尖叫起来："哇，太好了，叶子！没想到你这么快就成功啦！恭喜恭喜！"

这时候，宝强哥盯着我的眼睛，幽幽地问："叶子，为什么？为什么不要我？我哪里比他差？"

我连忙说："宝强哥，你是个好人，你什么都好，只是……只是……"我本来想说，"只是我只把你当哥哥"。

可是，宝强哥却抢过我的话头，撕心裂肺地喊道："只是我没有他有钱，对不对？”

“不是的，宝强哥。你误会我了，我不是那种贪钱的人。”听到宝强哥的问题，我的心里好难受，他居然误会我和夏天在一起是因为钱。

宝强哥却还在自顾自地说：“虽然我现在没有多少钱，可是我以后会赚很多钱的。我很快就可以包下我们那区的快递业务，用不了多久我还会开一家自己的快递公司。叶子，你相信我，用不了多久，我就会有钱的！你一定要相信我！”

宝强哥说这番话的时候，几乎是带着哭腔，说得我心里难受极了。

妈妈见到宝强哥这么痛苦，连忙安慰他：“宝强啊，我们家叶子绝不是那种贪钱的孩子。再说，他不就是一个拍照的吗？还能有你赚得多？”

“叶子妈，这你就不知道了。人家夏天是知名摄影师，他的那个工作室，租的是我们的房子，光房租每个月就一万二。还有他开的车，那可是奔驰！奔驰你知道吧？”一说到钱的事情，店长立刻积极地跟妈妈解释起来。

“啊！”妈妈被店长的解释惊呆了。

店长还在不知疲倦地继续说着：“你知道夏天的前女友是谁吗？是那个大明星Flora。他现在看上你家叶子，简直是天上掉馅饼的好事呢！”

妈妈有点难以相信地问夏天：“你那么有钱，为什么会看上我们家叶子？我们家叶子没有钱，又没有那个大明星Flora那么漂亮！”

“因为叶子很单纯，很善良。”夏天说。

我吐了吐舌头，暗暗地想：“你说得也太像真的了吧？我只不过是你的冒牌女友而已。”

沉默许久的宝强哥这时候又爆发了：“你不要装作很懂叶子的样子。你真的了解她吗？你这种公子哥，怎么会了解我们平凡老百姓的想法！”

“我会尽量用心去了解。”夏天对宝强哥说。

听到夏天的这句话，宝强哥一下子不知道该说什么好了。他看着我，说：“叶子，我不会轻易放弃的！”然后，他扭头，伤心地走掉了。

我在心里想着宝强哥的话，不禁又多了一些惆怅：“夏天这样的公子哥，的确不可能喜欢上我这样的平凡女孩。在这个世界上，王子都是喜欢公主的。我就像是一个灰姑娘，等到一个月的期限结束，就会被打回原形。”

☘ ☘ ☘

直到我困得快要睡着了，妈妈才回来。不知道她干什么去了？我本来还以为她会早早地在家等我，问我和夏天的事情。

“妈，你怎么这么晚才回来？”我问她。

“哦，还不是你们店长太热情，非要等便利店打烊之后，拿了一顿好吃好喝的招待我。”妈妈笑着说。

我心里觉得挺新鲜：“这个平时一毛不拔的店长，今天怎么会变得这么大方？”

妈妈说：“谁知道呢？我本来不接受的。可是他一定要招待我，还说这些都是他自己掏钱包买的，让我这个有钱人的丈母娘别嫌弃。我看八成是因为你和那个叫夏天的在一起了，他想巴结咱们。”

“店长虽然见了有钱人就乐开花，但是也不至于这么爱拍马屁啊？再说，下午在店里的时候，他也没有对我多好啊？难道，店长看上妈妈了？”我在心里嘀咕着。

于是，我半开玩笑地跟妈妈说：“那也不一定啊，说不定是他喜欢上你，特意讨好你的呢！”

“你别拿你妈开涮了，再说我都快结婚了。我们说说正经事吧！”妈妈看了我一眼，说，“你这孩子，我该说你什么好呢？你要是能嫁给宝强，妈妈就不用再为你操心了啊！”

她终于还是和我谈起了这件事。

我没有说话。妈妈又继续说：“这些年，人家宝强从乡下到城里，一直都在默默地帮你、照顾你，找个对你好的男人不容易，你为什么就是不愿意嫁给他呢？”

“因为我不想跟自己不爱的人过一辈子，那样是不会幸福的。”我喃喃地说，“我一直都把他当哥哥，对他没有感觉。”

妈妈听我这么说，充满忧虑地问我：“那你对那个叫夏天的就有感觉啦？那个夏天，人是长得挺帅，听你们店长说应该也很有钱，还很有名。但是这样的人，妈怕他没办法跟你老实过日子啊！”

我没有说话，只是想起那天在小巷子里，夏天对我说的话——只要相信，就一定会拥有爱情的。

我看着妈妈，认真地对她说：“我也不确定我们在一起会怎样，可是我想试一试。因为我相信爱情！”

“爱情，爱情，你知道什么是爱情吗？看不到也抓不住的……”妈妈还是打算说服我。

我急了，说：“当年你不也是为了追求爱情才嫁给爸爸的吗？你那么漂亮，追你的人那么多，镇上的老师，村支书的儿子，个个都比爸爸强。可是最后，你还是选择了老实木讷又不会讨姑娘欢心的那个，为什么？因为这就是爱情，因为你也相信爱情啊。”

妈妈大概没有想到我会说出这样的话来，她看着我，好像今天才刚刚认识我一样。

妈妈深深地看了我一眼，叹了一口气说：“唉！爱情，爱情又不能当饭吃！我和你爸爸刚结婚的时候还勉强能过日子。你和你弟弟出生后，家里就多了两张嘴要吃饭，要穿衣服、要读书……日子越来越难过，你爸爸为了赚钱养家，什么重活累活都做，他自己身体又不好……”

回想起往事，妈妈有一些激动。我看见她眼角有泪痕，连忙递给她一包纸巾，轻轻地拍拍她的背。

妈妈接过纸巾，擦了擦脸上的泪水，继续说：“我就是因为相信爱情，所以才会生活得那么辛苦，年纪轻轻守寡……我是不想让你步我的后尘啊……”

“可是妈，嫁给爸爸你后悔过吗？”我问她，“如果人生可以重新来一次，即使可以预见到之后的种种艰辛……妈妈，你会放弃爸爸吗？你会放弃相信爱情吗？”

妈妈一下子停住了，她抬起脸看着自己的女儿。我也激动地看着妈妈。

过了很久，妈妈看着我的眼神变得欣慰，神情也越来越温柔起来。她伸出手，紧紧地抱着我，然后对我说：“乖女儿，你跟妈妈真是太像了。只是，这以后也许你要受很多的苦，你真的决定了吗？”

“嗯！”我坚定地回答。

“那好吧。既然是这样，妈妈支持你的选择！”妈妈说。

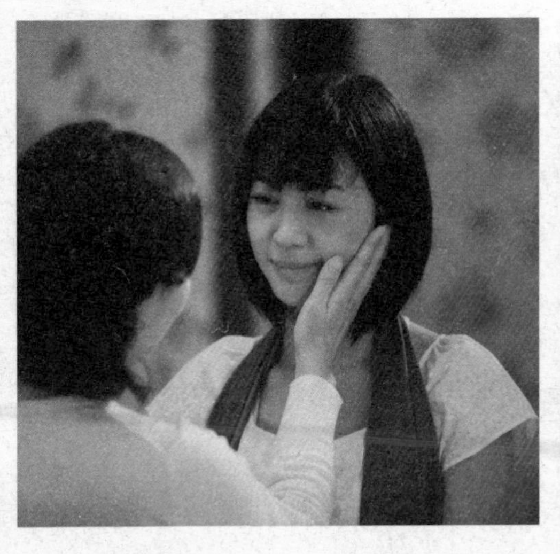

也许，最重要的不是喝什么饮料，
而是和什么人一起喝。

PART 6

夏天

上帝说过，他会赐福给看不见却选择相信的人。

浪漫反应式：
等你爱上以后，
就觉得一点也不老土了。

“呯呯”，门响了。

我打开门一看，是Flora。

本来以为她要问我那天为什么从婚纱店逃走，但是她没有问。

她走进来，笑着跟我说：“这两天新来的摄影师还是不太上道，你一小时能做的事，他要拍三小时。还好，不是没一张可用。”说到这里，她看着我，“真的想好了，决定自己开工作室了吗？”

原来她是来问我工作打算的，我稍微轻松了一些：“按原来的排期，我这边的工作三个月内就能结束。之后我就会自己成立一个工作室，主要是做一些野外拍摄。前段时间有杂志约我去非洲做特辑，看来是赶不上，我正在做其他计划。”

“你那么有才华，肯定还会有别人找你的。”Flora对我说。

我笑了笑，也安慰她说：“多给他一点时间，做熟了就好了，你也不用着急。”Flora愣了一下，然后才明白过来，我是在说她和新摄影师的配合。

“嗯。”Flora答应了一声，从她的包里拿出一件东西。我一看，是搬家那天被她踩过的那张老照片。她应该是找人处理过，照片重新变得平整了，还被镶在一个白色的相框里。

“我费了好大的工夫，总算把它弄好了。”Flora把那张照片拿到我面前，动情地对我说，“只要我们努力，一切都可以和从前一样的，对吗？”

我知道她说这句话的含义，但是我不知道应该怎么回答她。

Flora说完这番话，就走过来吻我。她用自己的唇紧紧地贴着我的唇，她的唇热烈得像火一样，但是我的唇却冰凉。

我用余光看着她手中的那张照片。照片里的Flora是我曾经深深爱过的女人，可是现在拿着这张照片的Flora呢？我看着她化着浓妆的脸，这张脸看上去似曾相识，却已经不再是我熟悉的那个人。

七年之后的今天，我们已经变得越来越陌生，我的理想在她看来是任性，她的追求我也无法接受。如果连认同彼此都变得困难，我想，我们已经没有办法再相爱了。

“有些东西弄坏了，就修不好了。”我终于下定决心，推开Flora，指着那张照片对她说。那上面隐约可以看到一道缝隙。只要拿到亮一点的地方，那道缝隙就清晰可见，无可遁形。

“不！一定可以修好的！我再找人去修，花多少钱我都要把它修好！”Flora歇斯底里地说。她扑上来，试图抱着我。

我伸手想要推开她，却不小心碰到了桌上的鼠标。

“这个女孩是谁？”Flora忽然恨恨地盯着我身后的电脑，问我。

我转身一看，原来计算机的屏保解除了，电脑屏幕上正好是一张叶子的照片。照片是我那天在街心公园抓拍的。照片上的叶子正端起相机，想要拍一只落在她面前的蝴蝶。

“她是谁？”Flora又问我，“是因为她，你才非要跟我分手吗？夏天……你为什么不回答我，她是谁？”

我本来心里还有一点乱，不知道要不要抬出叶子这个冒牌女友来挡驾。但Flora步步逼问，我只好心一横，说：“她是我新交的女友，叫叶子。”

“她有哪里比我好？她长得那么平凡！打扮得那么土！你说，她有哪点比我好？”Flora显然不能接受我有新女友这件事情，我也受不了她这样形容叶子。

我正要说话，“铃铃”，这时候我的手机突然响了。

“喂，夏天吗？我房间的墙壁上忽然裂了一条缝，你能来帮我看看吗？我找不到别人了。”是叶子打来向我求助的。

“对不起，女朋友找我有事。我必须马上去找她。”我对Flora说。

Flora没想到我一句安慰的话都不给，就催她离开。

她最后只说了一句说：“在我的危机过去之前，答应我，继续维持我们的情侣关系，哪怕……只是表面……”

说完，她幽怨地看了我一眼，才转身离开……

我和叶子在便利店门口碰头，然后一起走到了叶子家。她住的地方好小，是一套两居室中的一个小房间，最多不会超过20平米。

“你不会租个大一点的地方啊？”我有一点心疼她。

叶子露出可爱的笑容，对我说：“我的大摄影师，你当谁都像你那么不在乎房租啊？住得小省钱啊。”

我又问她：“裂缝在哪里？”

“喏！”她指了指门对面的一块墙壁，对我说，“我昨天下班回来，就发现墙壁上裂了一条缝，吓死我了！你帮我看看好不好？好歹你也是我名义上的男朋友嘛！”

“遵命！我的冒牌女友小姐。”我顺着叶子的话开玩笑，然后我走过去仔细检查了一下，“还好，不是墙体的裂缝。只是表面的石灰刷得不太好，时间一长就裂开了。问题不大！”

叶子这才放心下来，问我：“那我去找房东来把墙重新刷一遍，就可以了吧？”

我忽然灵机一动：“你也别找房东了，刷一次墙很麻烦，而且要好多天才能重新住进来。这些天你住哪儿呢？干脆我给你用涂料画一副画，把这个缝遮住好了。这样又省钱又美观，你看怎么样？”

“行呀！我们大摄影师也会想经济适用型方案，太难得了！”叶子很开心，还不忘顺便调侃我一句。

我们两个火速行动起来，去楼下买了颜料和刷子上来。

“画什么呢？”我问叶子。

她想了想，说：“这条裂缝那么长，就画一棵树吧？应该高度刚刚好。”

“好老土啊！”我笑话她。

没想到叶子却说：“等你爱上以后，就觉得一点也不老土了。”

“什么意思？”我不解。

“嗯……我是说……等你……爱上这棵树……你就会觉得……它好看了……”叶子憋了半天劲才解释出来，真不知道这有什么难说清楚的。女孩子有的时候就是很难懂。

“好吧。”听了她的解释，我勉强同意了。

我开始动手画了起来。

我虽然学过画画，但是已经很久没有拿画笔了，心里还真有一点紧张。不过，每次看到叶子那双充满信任的眼睛，我就充满了力量。我认真地在墙壁上画画，叶子就在我旁边看着我，偶尔给我倒杯水，或者拿毛巾擦个汗。有那么一瞬间，我真觉得我们俩不像是冒牌情侣，反而像是一对默契十足的男女朋友。

一个小时以后，我擦了擦手，开心地向叶子宣布：“画完啦！”

叶子走到我的画作面前，认真地看了看，赞叹道：“好美呀。”

我骄傲地说：“那当然，想当年我的画也是拿过奖的！”

“你太厉害了！”叶子崇拜地看着我，我很享受这种感觉。男人都需要女人的仰视。

这时候，叶子看了一下时间，跟我说：“晚上我还要值班，改天我再请你吃饭吧。”

我说："没问题，反正你也跑不掉的。我也该回家了，顺便送你去店里好了。"

❧ ❧ ❧

"好消息！好消息！叶子告诉你一个好消息！"我和叶子刚刚走进店里，店长就激动地拉住了她，"我们店被选中作为可俐儿广告的拍摄场地了！我们这个小小的便利店也要出名啦！"

"可俐儿的广告？那个广告定由我负责拍摄，我怎么不知道场地定在这里？"我很奇怪，问店长。因为的确没有人通知我，可俐儿的场地要调整。

"啊？可是刚才是广告公司的一个助理亲口跟我说，过几天会来我们这里拍的，还让我们好好准备一下。我还以为是你为了叶子，才安排到我们店里的呢？"店长听我这么说，也变得不确定起来。

"我打电话问一下吧。"我说着，拨通了电话。

"喂，陈曦吗？可俐儿的广告在哪里拍？"我打了一个电话给这个广告的监制，"在淮江路15号的一家便利店？好的，谢谢。"

果然是改在叶子的便利店里拍。我心里有点疑惑，怎么这么凑巧，偏偏选中了这家地处偏僻的小便利店呢？

店长一听说确定是在店里拍，又开始开心地絮叨："听说这部戏的女主角是Flora。哇！又可以见到Flora了！"

"Flora？"叶子好像预感到什么，她看看我。

我心头也一震，想起了一些事情，连忙问："Flora？她是不是来过？"

"来过来过！"在一旁的汤圆圆抢着说，"今天下午叶子刚走一会儿，她就来了，带着个大墨镜，一开始我还没认出来。"

"对对对！后来她走过来向我咨询一些事情，我一眼就认出她是Flora！"店长这时候又插嘴了。

我问店长："她向你咨询了什么？"

店长看看我，不好意思地说："也没什么，她就问我叶子是不是在这里工作。"

"然后呢？"我着急地想知道接下来的事情。

店长紧张地看了我一眼，继续陶醉地说："然后她就走了。她走路的样子好有范儿呀！简直就是天后！"

说完之后，店长又莫名其妙地补充了一句："不过叶子，你妈年轻的时候肯定比Flora还漂亮吧？不不不，现在也比Flora更漂亮，更有味道。"

叶子正要说话，汤圆圆着急地抢过了店长的话头。

"谁说只有这些？你为什么不说那件事？"汤圆圆不顾店长一个劲地使眼色，看着我说，"Flora在收银钱台付账的时候，我看到她钱包里放着她和你的大头照，看上去特别亲密。我假装不认识你，问她，'夏天真的是你男朋友啊？'她说是，还说你和她马上就要结婚了！夏天，你跟她都要结婚了，你还跟叶子在一起干什么？你这不是害叶子吗？"

我马上看看叶子。叶子也看着我，眼睛里充满了忧伤。

我连忙说："她想和我结婚，可是我拒绝了。我跟你说过的！"不知道为什么，我不想叶子误会。

"你用不着跟我解释。"叶子对我说。

原来她并不在意，我竟然有一点失落。

我不知道该说什么，只好说了一句："你放心，拍广告那天有我，她不能把你怎么样的。"

叶子一早打电话来跟我说，张奶奶的身体终于好了一点了。正好今天我也没有工作安排，所以我们决定抓紧时间，就在今天给她和张爷爷拍婚纱照。

因为张奶奶的身体还不是很好，不能走太远，我们的拍摄地点就定在了最近的街心公园，便利店旁边的那个。我背着照相机，叶子帮我拿着反光板和测光表。我们一起站在草坪上，期待着张爷爷和张奶奶的到来。

终于，他们出现了！

张奶奶穿着白色的婚纱婚纱，张爷爷穿着笔挺的西装，来到我们面前。

张奶奶有一点不好意思：“都七老八十了还穿婚纱，羞死人了。要不还是算了吧？”

我连忙真诚地对张奶奶说：“张奶奶，您穿着婚纱的样子可美了，拍出来肯定更美。”

张奶奶听我这么说很开心：“真的吗？”

“真的。”我很肯定地回答。

女人果然都是需要赞美的。

叶子也微笑着对张奶奶说：“张奶奶，我们大摄影师都说话了，您还有什么不放心的？我敢给您打包票，待会儿肯定把您拍得美美的，比电影明星还美！”

张奶奶被叶子哄得更开心了：“行，孩子，我信你们！那……我们……这就拍？”

“这就拍！”我赶紧说。

我和叶子扶着张爷爷、张奶奶在公园的长椅上坐下了。刚刚坐下来，张爷爷就低下头，细心地帮张奶奶整理好婚纱下摆的蕾丝边。叶子举着反光板站在旁边，看着张爷爷对张奶奶的细心，显得很羡慕。其实，看到他们相处得这样和谐，我也很羡慕。

“准备好了吗？一、二、三，茄子！”我端着照相机，对张爷爷和张奶奶说。

张爷爷笑得很自然。张奶奶大概还有一点不好意思，笑得有一些僵硬，手也不知道放哪儿好。

我连忙放下照相机，对张奶奶说："张奶奶，您别紧张。平时您和张爷爷聊天什么样，拍照的时候就什么样。"

"对呀，你别紧张嘛，有我在旁边陪着你呢。"张爷爷温柔地对张奶奶说。正在说话的时候，张爷爷发现张奶奶耳边的一缕头发掉了下来。他连忙伸出手，很自然地帮张奶奶捋了上去。

"咔嚓"，这么温馨的瞬间我当然不会错过，连忙按动快门拍了下来。

张奶奶大叫："哎呀，你怎么就拍了？我们还没准备好呢！"

我笑了："张奶奶，这叫抓拍。我们就是要拍得跟平常过日子的时候一样才好看呢！"

"是吗？我们原来在照相馆里拍照，都是摆好了姿势才拍呀。"张奶奶疑惑地说。

"真实的才是最美的！"说着，我把相机拿到张爷爷和张奶奶面前，叶子也放下反光板凑了过来。

"张奶奶，您看！您笑得多开心。还有，张爷爷看着您的时候，好温柔。"我说。

叶子也在一旁说："真的呢，张奶奶！这张照片一眼就能看出来，张爷爷肯定特别喜欢您！"

张奶奶立刻乐得花似的："那是，我年轻的时候，好多人追呢！你张爷爷想了好多的办法才把我追到手的！"

"对！对！对！我老伴年轻的时候，那可是厂花啊！"张爷爷也笑了，神情幸福而自豪。

他们年轻的时候一定很幸福吧？

能够这样幸福地走完一辈子，真好。

在我和叶子的开导下，张奶奶逐渐适应了镜头。

我们的拍摄场地也改到了湖边。叶子和张爷爷一起，扶着张奶奶走在前面。我拿着拍摄器材跟在他们后面。看着他们在前面有说有笑的，我的心里说不出的开心。

这就是家的幸福吧？自从爸爸妈妈离婚以后，我已经很久没有体会过这种幸福了。如果时间能够停止，我愿意选择永远地停留在这一刻。

在湖边，张爷爷和张奶奶面对面地站立着，很自然地拉着手，看着彼此的眼睛，默契地微笑。他们的脸上虽然布满了皱纹，可是他们看着对方的时候，那种充满爱意的眼神，却跟年轻人一模一样。

这个画面太美了！我立刻又抓拍了下来。

又拍了几张，张奶奶越来越放松，也越来越信任我。张爷爷要扶着她拍下一张照片的时候，张奶奶忽然撒起娇来："不要你扶，我要自己一个人拍几张！"

"好，好，你一个人拍。都老太婆了，还这么臭美。"张爷爷笑着说。

我也笑了，端着照相机给张奶奶拍起了单人照。

"张奶奶，您年轻的时候一定是个大美女！"我又夸了一句张奶奶，她笑得更开心了。

张爷爷一边看着张奶奶，一边走到叶子身边。我听见他跟叶子说："她已经好多天没这么开心了。叶子，谢谢你。"

"哪里，我没帮上什么忙，这次多亏了夏天。"叶子谦虚地说。

张爷爷看了我一眼，说："是啊，这孩子心肠真是不错。叶子，你要好好珍惜他。"

"嗯。"我看见叶子脸红了。

这时候，张奶奶说："好啦，我单人照的瘾过完啦！"

我连忙假装没有听见张爷爷和叶子的交谈，大声地喊：“张爷爷！张奶奶喊您回来拍照！”

张奶奶笑盈盈地冲张爷爷招手，示意他回来接着拍。

“就来，就来。”张爷爷一边答应着，一边快步走回张奶奶的身边。

不知道他跟张奶奶说了一句什么，张奶奶笑着捶他，娇嗔的表情像个小女孩。我又用镜头记录下了这一幕。

这时候，我看看表，下午4点了，我们出来已经有一个小时。之前大家商量好的，为了张奶奶的身体着想，我们只拍一个小时。

“时间差不多了，我们再拍最后一张，好吗？”我询问着两位老人。

“好。”张爷爷微笑着点点头。

张奶奶却有点意犹未尽：“就剩最后一张了呀？那好吧……”

我连忙说：“等您病好了，我再给您拍就是了！”

张奶奶这才重新高兴起来。

张爷爷的脸上却闪过一丝痛苦，叶子脸上也没了笑容。

“但愿她能恢复健康！”我在心里默默地祈祷。虽然之前叶子已经告诉我，张奶奶的病情不容乐观，但是也许会有奇迹呢？

最后一张照片，大家都很珍视。

“你们看看怎么拍呢？”我问张爷爷和张奶奶。

张爷爷和张奶奶想了想，默契地握住了彼此的手，并且把紧握着的手举到了胸前。然后，他们微笑地看着镜头，示意我可以拍了。

我连忙按下了快门。与此同时，我听到另一个相机也“咔嚓”响了一声。原来叶子也拍下了这个瞬间。

她应该也读懂了这张照片的含义。

十指紧扣代表携手，紧握着手代表爱，胸前是离心最近的地方。这一系列的动作，合起来的含义就是：携手把爱放在心里！

如果能够找到一个人，和她携手把爱放在心里，是一件很美好的事情吧！

❀ ❀ ❀

夕阳中，张爷爷搀扶着张奶奶上了出租车。我和叶子远远地向他们挥手告别，然后静静地注视着他们离开。看着他们远去的背影，叶子说："我终于相信，这个世界上真的会有天长地久的爱情。"

"上帝说过，他会赐福给看不见却选择相信的人。"我说。

"上帝说过，他会赐福给看不见却选择相信的人。"叶子重复了一遍我说的话，“这句话真好！”

我们默契地看向对方，然后又一起逃开了彼此的注视。

我们之间，仿佛有某种化学反应在发生，变得越来越微妙。

☘ ☘ ☘

为了庆祝今天的拍摄成功，我决定带叶子去我最爱的一家法国餐厅吃饭。

这家餐厅的名字叫作拉维拉，坐落在一栋蓝色的石头小房子里。餐厅里的墙面刷着红色调的油漆，很像红酒的颜色。再配上欧式的古典沙发，华丽的水晶吊灯，以及小野丽莎的法语Bossa nova，这里的一切都充满了法兰西的风情。当然，我之所以喜欢这家餐厅，主要是因为这里的法国菜很地道。

“欢迎光临，夏先生。”服务生熟稔地跟我打招呼，他看了看我身后的叶子，问我，“今天Flora小姐没有来吗？”

我发现叶子的表情有点不自在。作为客人，被忽略的感觉当然不太好。

为了宽慰她，我揽过叶子的肩，大声地说：“是的，今天我要请这位叶小姐吃饭。”

“好的，夏先生，叶小姐，这边请。”服务生立刻礼貌地说。

叶子跟在我后面，眼神里充满了惊叹。

“我从来没有来过这样的地方吃饭。”她小声地说。

我们在靠窗户的一张餐桌停了下来，服务生说：“夏先生，这是我们为您预留的位置。二位请坐！”我走到叶子身边，绅士地为她拉开椅子，做了一个请的姿势。

叶子忐忑地坐了下来。

这时候，服务生已经拿来了菜单。他对我们说：“向您推荐新到的truffe(松露)，不过，要是今天只有您和助理两个人……”

听到“助理”两字，叶子显然有一点尴尬。

我觉察到了，连忙打断服务生的话，告诉他："叶小姐是我朋友。"

服务生连忙道歉："非常抱歉。叶小姐，请您先看看菜单，今天晚上想要吃点什么呢？"

与此同时，服务生将另一本菜单递给了我。我微笑着说："不用看了。要一份petite assiette landaise（郎德地区传统小菜），一份sole grillé(煎鳎鱼，鳎鱼是法国的一种鲜鱼)，一份 escargot（蜗牛），一份foie gras（鹅肝），哦，你说有新到的松露？那就加上吧。"

然后我又问叶子："你吃羊肉吗？"

叶子摇头。

我便对服务生说："那要两份牛排吧。真可惜，这家羊排很出名的。"

"好的。"服务生微笑着记录完我点的菜之后，又看着叶子，"叶小姐，你要加点什么吗？"

叶子没有点菜，她看着我，小声地说："只是随便吃个饭，不用来这种奢侈的地方吧……"

我笑了："你放心，今天我请客，你想点什么就点什么。你也该吃顿好的了！"

叶子无奈，只好对服务员说："不加什么了，谢谢！"

菜很快上来了，我深呼吸了一下，拿起刀叉便开始大块朵颐。在我切好食物，正准备把它们往嘴里送的时候，却发现叶子正看着面前一排刀叉和勺子发愣。

"你怎么不吃？"我忍不住问她。

叶子看了我这边的刀叉一眼，这才犹豫地拿起来一把叉子和一把刀。她显然从来没有用过刀叉。

我这才发现，自己有点大意了。像叶子这样的女孩，应该很不习惯在这种餐厅用餐吧？今天晚上的安排真是太糟糕了。

这时候，服务生将一盘蜗牛端了上来。叶子看着蜗牛，一脸茫然，不知该用什么工具来吃。她大概本来想要问我，但是看看旁边站着的服务生，又不太好意思的样子，最后自己急得满头大汗。

我用眼神示意叶子跟着我做。然后，我拿起一个夹子夹住蜗牛，再用盘子左上角的小叉子把蜗牛肉叉出来。叶子学着我的样子，拿起夹子和叉子。

本来我们都以为可以松一口气了。没想到，叶子一下子没有夹稳，一只蜗牛瞬间飞了出来，正好弹在她的脸上。

这个动静立刻引来了周围客人的侧目，站在一旁的服务生也露出惊讶的表情。

叶子尴尬不已。为了不让叶子难堪，我也故意夹飞了一只蜗牛，那只蜗牛同样弹到了我的脸上。

“哈哈，今天的蜗牛都不老实啊，都煮熟了还想逃跑！”我故意大声地说。

但是这个笑话明显有一点冷。服务生看着我，只勉强笑了笑。

叶子还是很尴尬。她小声地对我说：“我去个洗手间。”

“没关系的，谁都有出糗的时候嘛。”我轻声地安慰她。

叶子勉强地笑笑。

去完洗手间以后，叶子的脸上依然写满了不开心。

我看着她低垂的头，说：“我们走。”

叶子吃惊地抬起头：“可是这么多东西还没吃完，也还没结账……”

“我已经买过单了。”我回答，“走吧！”

服务生看着桌上几乎没有动的菜，紧张地问：“夏先生，今天的菜做得不好吗？”

我完全没有理会他，拉着叶子转身走出了餐厅。

“谢谢两位，欢迎再度光临！”服务生在我们身后说。

才走出餐厅的门，叶子挣脱我的手，说：“对不起，今天让你丢人了。”

“这有什么好丢人的？”我微笑着看着她。

一向好脾气的叶子在这一瞬间崩溃了，她大声地喊道：“这还不够丢人吗？我不会用那些眼花缭乱的刀叉！我把蜗牛弄到了脸上！而且，你知道我为什么不点菜吗？因为我根本就看不懂法文的菜谱！我连你的冒牌女友都做不好，因为我们根本就是两个世界的人，我只会给你丢人！”

我依然平静地对叶子说：“我没有觉得你丢人。”

“那你为什么那么快就要走？”叶子问我。

“既然你不喜欢那里，那我们就换一个地方。没什么大不了的。”我说，“走，我们去海边的大排档吧！”

❀ ❀ ❀

来到海边的大排档，叶子一下子活了过来。这里才是她熟悉的地方！

海边的大排档很热闹，麻辣小龙虾、炒海瓜子、大闸蟹……各种海鲜美味应有尽有，浓浓的香味飘到老远的地方。因为离海也不算太远，在这些香味中间，还可以闻到淡淡的海水的咸味。我很喜欢这种混合的味道，充满市井的气息，也很鲜活。

“老板娘，来一斤麻小，一盘炒海瓜子！”叶子大声地对海鲜摊的老板娘说。

说完之后，叶子很熟悉地从摊位后面拎出两张凳子，一张让给我坐，自己坐了另一张。她好像想起了什么，拉住了我，用纸巾把我的凳子擦了擦，才示意我可以坐了。她大概是把我当成有洁癖的有钱人了，却不知道，这里我也经常来。

“再加四瓶啤酒！”我告诉老板娘。

叶子看了我一眼：“喝酒啊？”

“今天高兴嘛。”我说。

这时候，叶子的手机响了：“喂，圆圆呀？给张奶奶和张爷爷拍完照了，我和夏天现在在海边吃大排档呢！嗯，好，就这样。”

“那好吧，我们不醉不归！”接完电话，叶子爽快地说。

然后，她好像想起了什么，对我说：“我们再去隔壁小五那里要点烧烤吧！”说完，拉起我就走。

“小五，帮我先烤一打青口，两个生蚝，两个玉米。”叶子对烧烤摊的老板小五说。

“收到！”

叶子看着小五拿出的食材，俏皮地问：“等一下，都是今天的吗？”

小五笑了：“那还用说，给别人的不敢保证，给叶子的必须是新鲜货！”

我们回海鲜摊等着，不一会儿，小五就将已经烤好的青口端了过来。

叶子开始教我：“放点干酪更好吃……你看，像我这样，把干酪均匀地撒一圈……”

我没有理她。

叶子这才发现，我早就在青口上放了干酪，大口大口地吃了起来！

“我以前常来的，这些东西啊，比你熟！”说完，我冲小五喊了一句，“小五，再来一份锡纸烧茄子！”

叶子却立刻说：“不，我要锡纸金针菇。”

我皱皱眉头：“茄子比较好吃。”

“金针菇才好吃呢！”叶子不甘示弱。

小五为难地看着我们：“我说两位，到底是要茄子还是金针菇？”

我决定屈服，对小五说：“金针菇！”

没想到，与此同时，叶子竟然也改口了，她说出的是“茄子”。

我和叶子互相对视了一眼，都笑出声来。原来我们都为了对方妥协了。

小五却郁闷了：“到底怎么样？”

“两个茄子，两个金针菇好了！”我跟小五说。

❀ ❀ ❀

吃的东西和酒很快都上齐了。

海鲜摊的老板娘稔熟地问我们："原来你们两个是一对啊？刚在一起的吧？以前都是单独来的啊？"

叶子犹豫着，不知该怎么回答。

我连忙接口道："对，老板娘，我是她男朋友，我们刚在一起三天！"

老板娘走后，叶子嗔怪道："你干吗要说你是我男朋友啊？我们不是假扮的吗？就一个月？"

我笑笑："做戏就要做足嘛！"

看叶子一副拿我没办法的样子，我不禁在心里偷笑。我举起杯，对叶子说："来，为今天给张爷爷、张奶奶拍摄成功，我们干一杯！"

"干杯！"叶子举起杯子，和我碰了一下。

我们一起一饮而尽。

我又忍不住开起了玩笑："小样，还挺能喝的！只能喝这一次啊！我可不喜欢我女朋友喝太多酒。"

叶子捶了我的手臂一下，说："你这个冒牌男友，管得还挺多。我凭什么要听你的？"

我哈哈大笑，没有回嘴。

整个晚上，我和叶子就这样开心地闹着。我每次逗她，她都会上当，太好玩了。有时候，我们还真有一点情侣的感觉。这个想法闪现的时候，我的心里忽然有一点异样。

一开始叫的酒和菜很快被我们解决了，我们又重新叫了一些。叶子已经喝得满脸通红，我也有一点微醺了。

这个时候，叶子忽然说："我们为张爷爷和张奶奶天长地久的爱情喝一杯吧！"

我举杯应和着："嗯，希望我们以后也可以找到白头到老的另一半！"

叶子端着杯子，无限神往地说："但愿吧。这是我第一次看到真正的白头偕老呢！妈妈总是碰到一些坏男人，我都快要以为厮守终身是谎言了。"

"我爸爸妈妈在我很小的时候就离婚了，我和Flora又闹成这样，我也曾经怀疑过爱情，但是现在我又相信了。"我也不禁吐露了自己的心声。

"嗯。上帝说过，他会赐福给看不见却选择相信的人。"叶子把我下午说的那句话又重复了一遍。显然，这句话已经成为了她的爱情信条。

"为我们都相信的爱情，干杯！"我说。

我们又一次将杯子里的酒全部喝光了。

喝着酒，吃着大排档，吹着小风，这样的时光真是太惬意了。我和叶子都很享受，又聊得很开心，不知不觉地又多喝了几杯。

我们都醉了，叶子提议去海边吹吹风再回家。

走着走着，居然走到我和叶子上次相遇的那片海滩。想起那时候向我倾吐心事的叶子，我笑了。

"哎哟！"叶子叫了一声，我顺势扶住了她。

上次被贝壳绊倒的人是我，这一次变成了叶子。

这就是命运为我们安排的奇妙巧合吗？

扶起叶子的一瞬间，我忽然发现我和叶子离得很近。叶子的脸透着微微的粉红色，她的眼神有一些迷离和梦幻，她的睫毛很长，在我的眼前一闪一闪的。这是我第一次仔细地看着叶子，原来她竟然这么美！

一种奇特的力量推动着我靠近了她的脸，我的唇也被这种力量牵引着靠近了叶子的唇。我情不自禁地吻了下去。叶子先是有一些矜持，慢慢地，她好像被我的吻融化了，开始配合着我。我们的手本来拘谨地放在身体两侧，这时候也开始紧紧地抱着彼此。

这是一个漫长的吻，漫长得每一分钟都像是永恒一样。

这是一个短暂的吻，短暂得在我们还来不及细细品味的时候就已经结束。

不知道谁在海滩上放起了烟火。绚烂的烟花和人群的喧闹惊醒了我，我有一点不舍地停止了亲吻。

我抬头仰望着绽放在空中的烟花。

烟花真美！今晚的一切真美！

等我再低头看叶子的时候，她竟然已经在我的臂弯里睡着了。她睡觉的样子好美，就像一个天使。

阳光透过窗帘的缝隙照了进来，照在我脸上。我伸了个懒腰，忽然觉得有一点怪怪的，因为我发现自己睡在沙发上。昨天都发生了什么？我不是跟叶子在海滩大排档吗？然后我们都喝醉了，然后……

我的脑袋有点迷糊，便决定去冲个澡，刺激一下自己的神经。经过卧室的时候，我感觉里面有人，轻轻推开门一开，是叶子！

她怎么会在我家？我被惊了一下，脑子立刻高速地运转起来，慢慢记起了昨天的一切。

昨天，我和叶子都喝醉了，就到海边去散步。接着，我在海滩上吻了叶子。后来，叶子在我怀里睡着了，我只好抱着她上了出租车。回到工作室，我把她放在卧室的床上，我自己就睡在了沙发上。

我吻了叶子。

回忆着昨天和叶子亲吻的每一个细节，一种甜蜜的感觉在我心中莫名地泛滥。

这时候，还在睡梦中的叶子不小心把被子弄到了地上，我连忙走过去，想要帮她盖好。

不知道是不是我的动作太大，叶子忽然醒了。她睁着无辜的大眼睛，看到我显得很惊讶："我怎么会在这里？"

"昨天你喝醉了，后来又睡着了，所以我只好把你带到我家来。"我赶紧向她解释。

"我喝醉了？"叶子似乎在回忆昨天的事情，忽然她的脸一下子红了，她低低地问，"我们昨天是不是……是不是……"她结巴着，不好意思把"接吻"两个字说出口。

她绯红的脸，跟我吻她的时候一模一样。昨晚的一切立刻像放电影一般，在我脑海中重新上演了一遍，那种甜蜜的感觉再一次出现了。

这一刻，我终于确定，我爱上了叶子！

我问叶子："你是说这个吗？"问完之后，我不容她说话，马上吻住了她的双唇。

叶子闭上了眼睛，一开始她还是很矜持。慢慢地，她悄悄地伸出双手，环绕住我的脖子。那种甜蜜的感觉变得越来越浓，这就是爱情的味道吗？我好像已经失去它很久很久，现在它终于回来了。

过了很久，我们才分开。我郑重地对叶子说："做我的女朋友吧？"

"还是冒牌的？一个月的那种吗？"叶子故意问。

我笑了："是正式的，一生一世的那种！"

僵尸游戏：
我是一只倔强的僵尸，
我要闯进你的心灵花园。

今天叶子休息，本来我答应她，要带她去动物园的。据说动物园新来了两只从南极来的帝企鹅，叶子说她一直想去看。

但是很不巧，我们刚要出门，一个助理却打电话来，说有一批片子要提前弄好，客户着急要。因为马上要开自己的工作室，最近这三个月，手头要交差的工作总是特别多。

“对不起，叶子。”我抱歉地看着叶子。

叶子善解人意地说：“没关系，你忙吧。我在旁边看着你就好了。”说完，她就蜷在沙发上，用她那双明亮的大眼睛看着我。

她总是那么安静，那么听话，像一只温驯的小猫。

我很喜欢她这个样子。

我拿出了新买不久的Ipad，对叶子说：“你可以玩玩游戏。比如植物大战僵尸什么的，你们女孩子应该都爱玩这个游戏吧？”

叶子看着我的Ipad，显得很开心。她问我：“怎么玩？你快教教我，我没有玩过呢！”

看着她心急的样子，我笑着给她调出了游戏，玩了一局给她做示范。

一边玩，我还一边给叶子做了简单的介绍：“你看，这是植物豌豆射手，可以攻击僵尸。这种双发的比单发的厉害一点，还有冰冻豌豆，可以减慢僵尸的速度。僵尸的话，最普通的僵尸很好打，这种戴帽子的僵尸稍微厉害一点，还有戴铁桶的，又厉害一点。你慢慢玩就知道了，不懂的话可以看图鉴。来，你来试试看？”

听了我的介绍，叶子早就跃跃欲试了。她抢过我手里的Ipad，兴奋地用手在屏幕上点了起来。

“是这样吗？”她一边点，一边跟我说，“好像很简单嘛。我会了，你去工作吧，我自己玩就可以了。”

“后面会越来越难的。”我看她自己玩得开心，就走到自己的电脑前面开始修片。

今天的工作还挺麻烦的。这个模特脸上有很多色斑，需要一点一点地修掉。另外，还有一些细节也需要再调整。

“这可是个细致活。”我皱了皱眉头，开始动手。

等我再次从电脑前面抬起头的时候，转眼已经过去两个小时了。我顺手拿起自己喝水的杯子。杯子竟然是冰的。我一惊，刚刚我明明随手倒了一杯热水的。一定是叶子替我换的冰水。

我拿起杯子，喝了一大口。杯子里的是咸柠檬汽水，雪碧的甜味混合着柠檬片的淡淡酸味，喝起来感觉好极了。

我连忙转身，这才发现叶子坐在沙发上，正温柔地看着我。我微笑着，端起杯子，对她说：“真好喝，谢谢！”

我在工作，心爱的人安静地陪在我旁边。她看着我，体贴地为我准备好一杯好喝的东西。然后，我偶尔抬起头，和她的目光正好碰到一起，两个人相视而笑……这一切简直和我向往的场景一模一样。

将来，我去野外拍摄的时候，叶子也会这样陪在我身边吧？我不禁开始了更多浪漫的遐想。一瞬间，甜蜜和幸福充满了整个房子。

我情不自禁地走过去，抱着叶子说：“叶子，你是天使吗？总是成全我的一切美好想象。”

“我只是一片小叶子。”她躺在我的胸膛上，幸福而羞涩地说。

这时候，我看到了被叶子放在一边的Ipad，便拿了起来，柔声问她：“你都没有玩吗？”

她看看我，脸红了：“我觉得你比僵尸好看！”

我大笑。

这个可爱的女孩，我真是越来越喜欢她了。

“那现在换我看你了。你玩吧，我休息一会儿，看你玩。”笑完之后，我对叶子说。

“好吧。”叶子拿起了Ipad，开始玩了起来。

“哎呀，不要过来，不要过来！”

“来不及了，夏天，怎么办？”

“还好还好，挡住了。原来这个坚果这么坚固呀。”

叶子一边快速地点着屏幕，一边紧张地大喊大叫。我在旁边，偶尔帮她补种一些植物。更多的时候，我都不说话，只是看着叶子，就像她刚才看着我一样。

忽然，叶子惨叫：“哎呀，我惨了，它到房子里了！”

我从身后拍拍叶子的肩膀，模仿僵尸的声音说：“哇哈哈，我是僵尸，我进来啦！”

叶子假装害怕地回过头：“僵尸，求你不要吃我的脑子！”

“我看看，小姑娘还挺漂亮！我可以不吃你脑子，但是……”我眼睛骨碌一转，看着叶子坏笑。

她看着我：“但是什么？”

我一把抱过她，说：“但是要让我亲一下。”

我温柔地用自己的唇覆盖在了她的唇上。叶子连忙闭上了眼睛。

我又一次吻了叶子，然后我在她耳边轻轻地说：“我是一只倔强的僵尸，我要闯进你的心灵花园。”

叶子睁开眼睛，看着我。她大大的眼睛里满是甜蜜。

鹊桥童话：在这个特别的节日里，

在这个特别的节日里，

转眼之间，七夕到了。

这是我回国以后才开始重视的节日。小的时候听奶奶说过，七夕的这一天，牛郎和织女会在鹊桥上相会。所以，这一天又被当成中国的情人节。

不管怎么样，这是我和叶子在一起之后过的第一个节日。为了让这一天变得难忘，我精心安排了很多节目。我觉得叶子一定会喜欢。

我开着车，吹着口哨，来到了叶子家楼下。

“叶子，我到你家楼下了。出来吧。”我坐在车里，给叶子打了个电话。

5分钟以后，叶子出现在我的面前。

一刹那，我被今天的她电到了。她穿着一条白色的连衣裙，头上带着一个蓝色蝴蝶结的发箍，搭配简单清爽，但是却美极了。我觉得她像是小说里的清纯少女，又像是上流社会的淑女。

叶子坐到副驾驶的位置以后，我抚摸着她柔顺的长发，赞叹地说：“叶子，你今天真好看！”

“哼，这是什么意思？我以前就不好看吗？”叶子假装生气地说。

我笑了，连忙说：“都好看！”

说完，我发动了车子。

❀ ❀ ❀

今天的第一个节目，是去动物园里看帝企鹅。

自从听说动物园里有帝企鹅以后，叶子就一直想去看。但是我最近一段时间总是有很多的工作要做，只好把这个节目留在了七夕这天。叶子欣然接受了这样的安排，她真是个善解人意的女孩。

动物园里的人好多，看帝企鹅的人尤其多。我们跟着人群缓慢地移动着，好不容易才进到了场馆里面。

两只从南极来的帝企鹅都好可爱。它们看到这么多人，一点也不怯场，只是自顾自地吃着冰冻鱼虾，抱着冰块玩耍，悠然自得，享受着自己的二人世界，仿佛周围的人和它们一点关系也没有。

“原来帝企鹅真的长这样呀，和我在照片上看过的一模一样！”叶子开心地说。

我刮了一下她的鼻子：“傻丫头，照片上拍出来的，当然和真的长得一样啦！”

“也对。”叶子傻里傻气地说。

我又问叶子：“你为什么想看帝企鹅呢？”

叶子看着我，认真地说：“因为我在网上看过一个关于帝企鹅的爱情故事，好感人！”

帝企鹅的爱情故事，这就是爱情的巧合吗？

就在几天以前，我也在网上发过帝企鹅的爱情故事。

我记得这个爱情故事里有这样一段话：“你问我为什么能够挨过漫长的冬天？我说，因为我爱你。我问你为什么能够游过冰冷的海洋？你说，因为我爱你。”

这段话太美了。正是因为这段话，我才爱上了帝企鹅的爱情故事。

这也许就是传说中的上天注定，我和叶子竟然不约而同地看到了同一个爱情童话。

“叶子，以后如果有机会，我们一起去南极看帝企鹅，好不好？”我对叶子说。

叶子很开心：“好呀，可是会有机会吗？”

“当然，”我自信地对叶子说，“去年我就去过一次，下次再去，我就带着你！”

“嗯。”叶子望着我，开心地点了点头。

✤ ✤ ✤

“下午去干什么呢？”吃完饭，叶子问我。

看着叶子好奇的表情，我不禁有些得意，自己的保密工作做得实在太好了。我故意逗她：“没有活动啦，我们回家睡觉吧。”

“啊？”叶子信以为真，露出失望的表情。

这时候我才告诉她：“骗你的，小丫头。你先休息一会儿吧，到了我再叫你。”

叶子这才发现自己上当受骗了，她追问我：“到底要去哪里，你先告诉我吧！”

“保密。”我狡黠地笑了。

“告诉我嘛，告诉我嘛。”叶子抱着我的一只手，开始撒娇。

我只好吓唬她：“别闹，危险。我正开车呢！”

这句话果然有效，叶子乖乖地待在副驾驶位上，不敢动了。我打开车里的CD机，放起了音乐。CD机里响起了梁咏琪的《天使与海豚》。

“我是天使，一个孤单浪漫的天使，喜欢绕着地球飞。却为找不到甜蜜爱情而心灰。你是海豚，海是座没有围墙的城，仰望有彩虹的天空，你心里有失去爱情的伤痕。当天使懂得海豚的伤悲，当海豚疼惜天使的心碎，我们的相逢变得好可贵，我们在风中留下了喜悦的眼泪。

“天使好想去学会了游泳，海豚在梦里飞到了半空中。这样的恋爱或许不轻松，可是只有你让我深深心动。天使好想给海豚一个吻，可是情海那么神秘那么深。海豚想给天使一个拥抱，可是天使的家住得那么高。

“有爱就难不倒，我要对你好……”

好美的一首歌，我情不自禁地按下了单曲循环。

我看了一眼叶子，她闭着眼睛，好像已经在歌声中睡着了。

叶子，你就是我的天使吗？你一定是的。

在我被爱情伤害的时候，你飞到我身边，让我重新看到爱情的美好；在我寂寞地潜入水底的时候，你在天空中出现，让我有勇气跃出水面，享受自由飞翔的感觉。

叶子，如果你是我的天使，我愿意做你永远的海豚，一辈子在你身边游来游去。

❀ ❀ ❀

“我们到了，快起来哦，叶子。”开了大概半个小时的车，终于到达了我们的目的地。

叶子睁开了眼睛，看着眼前这个陌生的地方，又一次迫不及待地问我：“我们的活动到底是什么？”

我还是没有告诉她，只是拉着她的手往前走去。

“原来是海底隧道！”当叶子最终看到呈现在眼前的景色时，她惊喜地喊道。

我笑笑，当然不会只是海底隧道。不过不着急，时机还没有到。

叶子兴奋地拉着我的手，慢慢地在海底隧道里移动着。在我们的四周，是湛蓝的海水。海水里游弋着各种各样美丽的海底精灵，有五颜六色的小丑鱼，有憨头憨脑的海龟，有胖胖的海参，还有色彩斑斓的热带鱼。在隧道的尽头，一艘海盗船静静地卧在水底，许多小鱼在沉船的缝隙间自由地穿梭着。

很长的一段时间里，叶子都忘了说话，她只是痴痴地看着每一条鱼，露出不可思议的神情。

这时，我找到了一对接吻鱼，便把叶子拉过来，我问她："叶子，它们可爱吗？"

"可爱。"叶子回答。但马上又反应过来我话外的意思，脸一下子变得通红。

"我们到海里去，做一对接吻鱼，好吗？"我看着叶子，用充满诱惑的语气问她。

叶子看着我，有些迷茫："啊？怎么做？"

"很简单的！"我继续怂恿叶子，"我们去潜水，然后就可以做一对接吻鱼啦！"

"我连游泳都不太会，能行吗？"叶子不确定地问我。

我点点头说："当然，我可是有潜水证的。有我在，我会保护你的！"说着，我就拉着叶子的手去找我相熟的潜水教练。

这才是我带叶子来这里的重头戏呢！

潜水教练王欣是我的老朋友，他捶了我的肩膀一下，算是打招呼。然后他问我："Flora怎么没一起来？这位漂亮的小姐是谁？"

我清了清嗓子，郑重地说："正式介绍一下，叶子，我的女朋友。"

看我一副一本正经的样子，叶子忍不住笑了。王欣先是愣了一下，随即也笑了。他主动伸出手，跟叶子说："叶子小姐你好，欢迎来潜水。"

说完，他就去给我们准备潜水装备了。

叶子捅了我一下，小声地说："原来你经常带Flora来呀？"说话的时候，她脸上的表情醋意十足。

女人还真是爱吃醋，这么小的细节都不放过。

我只好说："我只带女朋友来过。"

叶子似乎也觉得自己这个醋吃得有点没来由。听我这么说，她连忙略带撒娇地说："好吧，好吧。以后只许带我一个人来，听到了吗？"

"遵命，叶子小姐。"我松了一口气。

这时候，王欣回来了。他开始给叶子讲一些基本要领："你没有潜水证，所以下潜深度不能超过五米。"

"没关系，反正我们就是想体验一种做接吻鱼的感觉。"我插嘴道。

王欣听我这么说，马上笑了："哦，哈哈哈……"

叶子站在旁边，脸又红了，头也低得很低。

我忽然意识到，自己这种不拘小节、有话直说的ABC个性，实在有点不太适合国情。于是，我看着叶子，不好意思地吐了吐舌头。

叶子看到我这副样子，又忍不住笑了。

"你们两个啊，还真是一对活宝。"王欣看着我们说，"好啦，为了你们能早点做接吻鱼，我们赶快讲课吧。"

叶子再一次脸红了。

"你也太爱脸红了吧！"我小声地对她说。

"下潜时，可能会有一定的压力。当然，5米应该不至于很明显。但是，不管怎样，如果感到身体不适或头晕恶心，都要立即终止潜水返回水面。明白吗？"王欣继续仔细地给叶子做着介绍。

叶子点点头："明白。"

王欣又继续说："还有，不管出现了什么意外，不管多么激动或紧张，永远不要屏住呼吸。知道吗？"

"知道。"

该说的说完了，王欣又指导我们做了一些准备活动。

终于要下水了。

我张开双臂抱了抱叶子，示意她不要紧张。

就在我们一步步往水中走去的时候，叶子忽然说：“我不想下去了！夏天，我害怕！”她用力地抱着我的胳膊，看上去真的很紧张。

我连忙紧握着叶子的手，用坚定的眼神看着她：“叶子，不要怕，有我在呢。”

她看了我很久，这才下定决心，慢慢地往水里走去。我和王欣也跟在她后面也下了水。

经过叶子的一番努力，我们终于潜到了五米左右的深度。刚刚还隔着一层玻璃的小精灵们，现在就在我们身边悠闲地游玩着。虽然不是第一次感受海底世界的风光，但是有叶子在我身边，我还是多了一些异样的兴奋和幸福。

接吻鱼的时刻终于要到了！

我抱住叶子，摘下了呼吸器。然后，我看着叶子。在我鼓励的目光下，叶子也摘下了呼吸器。

终于，在浪漫的蓝色海水中，我们吻向彼此的唇……

我们接吻时产生的空气，形成了美丽的气泡，就像是绽放在海中的礼花，浪漫而美丽。此时此刻，我和叶子，我们，是蓝色的大海里一对最幸福的接吻鱼。

几秒钟后，我们分开了。我和叶子重新戴上自己的呼吸器，浮出水面。

“做接吻鱼的感觉真好。”上岸以后，叶子闪着她那双美丽的大眼睛，甜蜜地说。

我靠近她的额头，给了她一个浅吻，说：“我就知道你会喜欢。”

休息了一会儿，我又开车带着叶子来到下一个约会地点。

不知道为什么，叶子就像是一个催化剂，总是可以触发我关于浪漫和甜蜜的无限灵感。我从来没有像今天这样，一口气安排了这么多的浪漫活动。这一切，都是为了叶子。

我把车停在了一个蛋糕店旁边。叶子下了车，她看到蛋糕店的招牌，很开心。

“我们要去买蛋糕吗？”她问。

“我们要去做蛋糕。”我回答。

她的脸上又一次出现了惊喜交加的表情。我得意地笑了，这正是我想要的效果。

我牵着她的手走了进去。

这是一家可以自制蛋糕的店。我早就在网上查好，还事先打电话做了预订。跟工作人员确认了预订信息以后，一个蛋糕师开始教我们做蛋糕。按照事先的安排，我和叶子要做的是提拉米苏。

我们穿着店里提供的蛋糕服，开始忙活起来。

叶子负责用心形的模具把烤好的乳酪蛋糕，压出形状。我在用水泡开奶酪和吉利丁。然后，我开始搅拌加了冷水和冰块的鲜奶油，叶子则在用打蛋器打蛋。

看到叶子一副专心致志的样子，我忍不住蘸了一点鲜奶油，趁她不注意抹在了她的鼻尖上。叶子反应过来的时候，已经来不及躲开了。她气得不行，连忙也蘸了一点奶油，过来追我。我们绕着制作台跑了一圈又一圈，最后都累得气喘吁吁。

我连忙说：“别追了，我投降，让你抹一下，好不好？”

说完，我乖乖地把自己的脸凑了过去。

叶子心满意足地在我的鼻尖抹了一小块奶油。

我以为这样就可以了，刚要离开。叶子却叫住了我，在我的鼻子下面，嘴唇上面又加了两撇“白胡子”。她刚抹完，就哈哈地笑了。站在一边指导我们的蛋糕师也忍不住笑了。我连忙到洗手间照了一下镜子，看到镜子里的自己我也乐了。原来我已经变成白胡子小丑了！

闹了一会儿，我们又回到制作台前继续制作提拉米苏。按照蛋糕师的指导，我调了一些咖啡，又拿了一点朗姆酒、奶酪，一起放到已经搅拌好的鲜奶油里。

叶子把剩下的咖啡刷到心形的乳酪蛋糕上，一共有上下两层。等到我这边的一堆东西调好以后，叶子又把这些东西全部倒进了模具里。最后，我们一起在蛋糕上撒了朱古力色的咖啡粉，把蛋糕放进了冰箱。

等待的时间真的好漫长，我和叶子都觉得时间过得好慢。三个小时以后，我们的提拉米苏终于做好了。

这是一个心形的，咖啡色的，提拉米苏。

叶子看着这个蛋糕，很长时间都不肯吃。我打算下手，她也不让我动。

“让我多看一下嘛，我不舍得吃！”她幽幽地说。

我笑了，拿出相机拍了一张照片，然后跟叶子说：“已经拍了照片留念，现在可以吃了吧！”

叶子看了一下存在相机里的照片，不舍地说：“那好吧。”

这时候，我俯在叶子的耳边，悄悄地问她：“你知道提拉米苏是什么意思吗？”

叶子摇摇头。

“Tiramisu，在意大利语中的意思，就是把我带走。”我说，“你把我的心带走吧。”

我刚刚说完，叶子忽然护住蛋糕，说：“那不许吃了。我要你的整颗心，完整的心。”

“叶子！”我真后悔在吃之前告诉她这个含义，结果她又不让我吃了。

她却忽然冲我做了个鬼脸：“哈哈，骗你的。吃吧！”

原来她也学会逗我了。

终于，我们吃到了自己亲手制作的提拉米苏。

甜味中，带着咖啡和朗姆酒的香醇，仿佛是爱情发酵的味道。

☘ ☘ ☘

回家的路上，天已经黑了。

昏黄的灯光照着路面，有着一种朦胧的美感。虽然是夏天，夜晚的风还是很凉快的。于是，我索性打开了车的顶篷。

叶子很惊喜：“原来，这个是可以打开的呀！”

我说：“对呀！”

叶子很开心，她从副驾驶位上站了起来，大声地喊：“今天好幸福！”然后，她又转过去，望着后面的路面，说：“这样看风景，感觉真好！”

“嗯。”我一边开车，一边答应着。

这时候，我忽然发现前面要经过一座很低的过街天桥。

“小心！”我一把拉下叶子，同时我的方向盘往右边一偏，车向右侧的护栏撞去。

我赶紧往反方向打方向盘，然后把车停在路边。

叶子惊魂未定，我赶紧抱着她，安慰她说：“没事的，没事的！”

她忐忑地问我：“车怎么样了？”

我无所谓地说：“没事，不过就是一道小划痕。”

我们之间，
仿佛有某种化学反应在发生，
变得越来越微妙。

PART 7

叶子

我们分别在世界的两个半球，

你是夏天，我却是冬日里挣扎的叶子。

显微镜原理：

当我们离得越来越近，
显微镜里看到的，
都是我们的不同。

那天早晨醒来以后，我发现自己竟然躺在夏天的卧室里，而夏天就坐在我的身边。

“这是在做梦吗？”我在心里问自己。

只是依稀记得，在海边，满天烟花绽放的时候，夏天吻了我。虽然那个吻的甜味还停留在我嘴边，但是我不确定，它是不是真的发生过。

我问夏天，他没有回答我。接下来，发生了更加不可思议的梦幻故事。夏天吻了我，然后认真地对我说，他要我做他“正式的、一生一世的”女朋友。

我开心地点了点头。只是这一切太突然了，我几乎不敢相信。我是被王子选中的灰姑娘吗？十二点的钟声响起时，我会不会被打回原形呢？

接下来的几天，我们在一起过得很开心。七夕那天，夏天还为我策划了一整天的节目。

那天上午，我们在动物园看了帝企鹅。下午，我们又潜水到海里，做了一对幸福的接吻鱼。晚上，夏天又带着我，一起亲手做了一个提拉米苏蛋糕。他告诉我，提拉米苏的含义是把我带走。然后他让我把他的心带走。

这是我一生之中最幸福的一天。

只有一个小小的遗憾。我们开车回来的时候，夏天的车撞到路边的护栏，有一道小小的划痕。我有点内疚，因为是我在车上闹他，他才会撞到路边的护栏。

第二天，夏天要去4S店修车，我立刻要求跟着去。

我们刚走进去，就有一个工作人员过来给我们倒了两杯水。

“夏先生，您好。您的车出了什么问题呢？”修理厂的工作人员礼貌地询问。

夏天回答：“没什么大问题，就是划了一道。帮我处理一下吧。”

“好的。”工作人员说完，就开始忙碌着修起车来。

我还是第一次看到这么整洁干净的修理厂。厂里所有的设备都一尘不染，也没有我在其他修理厂常见的黑色油污，工作人员身上的工作服看着也很清爽。在修理厂的接待室，摆着两个真皮的沙发和一个木色的茶几。

我和夏天就坐在沙发上等着，马上又有工作人员送来了杂志。送到我手上的是一本《ELLE》，给夏天的是一本《男人装》。我假装翻着杂志，心里却始终有一点不自在。这个地方营造出来的气场，让我觉得自己有一种说不出来的穷酸。

一个小时以后，我才发现，我比想象的还要穷酸。

面带微笑的工作人员走过来对夏天说：“夏先生，你的车已经修好了。材料费600元，工时费900元，一共是1500元。”

我简直怀疑自己听错了。1500元？不多不少，正好相当于我一个月的工资。天哪，只是一道5厘米左右的划痕，修起来竟然这么贵，我几乎想开口帮夏天砍价了。

夏天却完全没有一点意外，他掏出钱包里的信用卡，说：“好的。帮我刷一下吧，没有密码。”他掏卡的动作很潇洒，像极了电视剧里的有钱人。不对，不是像，他本来就是个有钱人。

在我的世界里，1500元是一个月的房租，是一个月的伙食费，是一个月的……对于我来说，1500元太多了，足够维持我一个月的生活。如果我节省一点的话，可能还能够略有结余。但是在夏天的世界里，1500元只是一个潇洒的挥霍，只够修补他车上一道5厘米的划痕。

我忽然有一点害怕。从前，我之所以能够无所畏惧地跟夏天在一起，是因为我从来没有真正地感受过，原来我们之间的差距竟然那么大。

再坐到夏天的奔驰车里，我变得有一点无措。但我还是假装不经意地问："夏天，宝强哥也想买一台你这样的车。大概要多少钱？"

"六十万。"夏天开玩笑似的说，"他要买下这辆车，得送多少份快递呀。"

夏天没有注意到，在他说完这句话以后，我脸上的表情迅速地冷冻。是的，他说的那个数目的确需要宝强哥送几十万的快递，同时也需要我不吃不喝地工作上几十年。

有这样一个有钱的男朋友，我一点也不感到自豪。相反，我感觉有一些沮丧。我们根本就不是同一个世界的人。也许有一天，等到夏天发现我的世界原来那么简陋，就会想要回到自己的世界里去吧。

❀ ❀ ❀

抱着这样复杂的心情，我陪着夏天回到了他的工作室。

"你好，这里是夏天的电话。他现在不在，有事请留言。或者，我会转告他……"屋里的电话响了几声，然后转成了答录机的声音。

答录机里面传出的声音，是Flora的。

夏天也听到了这段录音，他尴尬地笑了笑，对我说："最近太忙，忘记把这段录音换掉。而且现在一般人都只打我手机，电话好久不响了。"我知道，后一句是夏天特意加的，他怕我介意。

我勉强笑了一下，说："没事。"

夏天要继续工作，我照例陪着他。跟夏天在一起的日子里，我玩《植物大战僵尸》的本领已经炉火纯青。

其实，除了七夕那天，很多时候夏天都在忙着。因为在他开自己的工作室之前，还有一大堆已经签约的工作在等着他处理。所以，我们通常的相处方式都是，他工作；而我，只能看着他工作的背影。

我正在胡思乱想的时候，门铃响了。

夏天想要起身去开门，我连忙说："我去开！"说着，我站了起来。

门外是送快递的。他交给我一个盒子，也不告诉我里面装的是什么，只是跟我说："3500元。"

我一下子愣了，结结巴巴地说："我没有这么多钱。"

"我这有移动POS机，可以刷卡。"快递回答。

"我没有卡。"我硬着头皮说，嘴里的声音越来越小。

尽管这样，我还是不想找夏天去要钱。刚刚在4S店的经历激发了我莫名的自尊心，我真的不想让夏天觉得我很穷酸。

"那这个东西你还要不要？"快递显然怒了，声音一下子变得很大。

我慌张得不知道该怎么办才好，用眼色示意他小声一点，可是根本没有效果。

这时候，夏天已经听到声音走了出来。他问那个快递："怎么回事？"

"你们订的镜头到货了，3500元。"快递说。

"我不是已经在网上付过款了吗？"夏天说，语气里带着很拽的质问。

快递的语气立刻软了下来，不像刚才跟我说话时那么凶了。他讪讪地说："是吗？我查一下。原来真的付过了，我还以为是到付呢。不好意思，不好意思！"那个快递一边道歉，一边慢慢地退出门外去。

"下次注意点。"夏天义正言辞地对快递说。

他转过头，看到我的表情很不开心，开玩笑地说："你怎么连网购都不知道呀？你好土啊。"

我仍然没有说话。夏天说的这句话不但没有让我感到开心，反而让我更加难受。

跟夏天相比，我有太多的东西没有听过，没有看过，更不要说用过。

他是见多识广的王子，我是没有出过几次家门的灰姑娘。在他面前，我觉得自己很无知，很浅薄。这样的感觉让我不安。

☘ ☘ ☘

夏天回到电脑前继续忙他的工作。忽然，他转过头来跟我说："Baby，晚上陪我去参加一个聚会好吗？"

我们刚在一起的时候，夏天一般都会刻意地只说中文。但是有时候一高兴，他也会蹦出很多英文的单词来。虽然我并不是不懂英文，但是他那种ABC的调调会让我有强烈的距离感。这一点，其实夏天也知道。

"什么聚会？"我问他。

他连忙跟我说了大概的情况。原来他在MSN上碰到了大学同学。那个大学同学告诉他，夏天大学时代最要好的朋友刚刚从美国回来，所以大家决定聚一聚。

自从跟夏天认识，我才知道有MSN这个东西。夏天说，白领，还有国外的人，都喜欢用MSN。从前，我和自己的朋友聊天都是用QQ。

我知道，这只是不同人的习惯。但是，夏天的MSN，却让我觉得莫名的自卑。

为了方便我们进行联络，他还特意帮我申请了一个MSN账号，叫作summerlovegrass@hotmail.com。这个账号的含义我当然懂得，是夏天爱叶子。我虽然一上网就会登录这个MSN账号，但是这个账号的联系人只有一个，那就是夏天。

其实我想跟夏天说，我不想去，因为和他的大学同学在一起，我会感到局促不安。他的同学，一定都是很厉害的人吧。我只是一个便利店员，什么也不懂。还有，他们上学的地方是美国。那是一个我只在电视里看到过的地方，离我那么遥远。

可是夏天看着我，无比真诚地说："Darling，今天晚上来的都是我最好的朋友，在美国上大学的时候，我们经常混在一起。我想把你介绍给他们，好吗？”

他虽然是在问我，可是那种语气让我没有办法拒绝。

我只能顺从地点点头。

我低头看了一下时间，现在已经五点了，想回家换衣服再顺便打扮一下已经来不及了。我想到了汤圆圆，她今天应该在店里吧。

“夏天，我去一下店里，马上就回来。”我大声地告诉夏天，然后往楼下跑去。

夏天大声地对我说：“你快点回来，不然我们要迟到了！”

我用最快的速度跑下楼，对汤圆圆说：“江湖救急，我要参加聚会，快帮我打扮一下！”

汤圆圆看着我，无奈地摇摇头：“唉，我今天带了一套连衣裙准备约会穿的。看在你这么着急的份上，先借给你吧！”

“这……如果你也要约会……就算了……”我不好意思地说。

汤圆圆从储物柜里把那条裙子拿了出来，说：“别废话了，快换上。一会儿我再给你化点妆吧。姐姐我的约会可以改期，先稳固你和大帅哥的感情再说。”

我感激地看着汤圆圆，去后面换上了她的连衣裙。我走出来的时候，汤圆圆满意地点点头，说：“我就觉得我们身材差不多，你穿着还挺合适的。绝对好看！”

说着，她又拉过我，掏出一个粉饼盒，还有眼影、眉笔什么，给我化起妆来。

等我再照镜子的时候，不由得下了一跳。天哪，镜子里的人是我吗？惨白的脸上，我的眉毛浓得像是墨印的，嘴唇更是红得像猴子屁股，整个人看起来怪极了。

“不行不行，这样还不如不化呢！”我着急地跟汤圆圆说。

汤圆圆正要辩解，这时候夏天冲了下来："叶子，咱们该走了，不然要迟到啦！"他一把拉住我要往门外走，但是看到我化完妆后的脸，他忍不住扑哧笑了。

"普通聚会而已，你不用弄得像个旧上海舞女似的吧。"夏天边笑边说。

我却笑不出来。

汤圆圆见到这样的状况，便说："其实还不错啊，就是你们没看习惯而已。挺好看的！"

我急忙说："不行不行，我去洗掉。"说完，我就要往店后面的水池走。

"算了，叶子。时间来不及了，现在这样也挺好的。"夏天说着，不容分说地把我按到了车里，发动了车子。

"不要，我这样很丑的！"我大叫。

夏天却劝我说："虽然不够自然，不过也不难看。"

听他这么说，我才勉强接受了让自己顶着这样的妆容去参加聚会。

"Hi，Summer，在这里。"我们刚走进饭店，就有人热情地向夏天招呼。

夏天笑吟吟地走了过去，拉着我给大家介绍："Hi，各位，好久不见。这是我的女朋友，叶子。"

说完，他又指着一圈人跟我说："这位是Tommy，就是我跟你说的大学死党。这位是Dan。还有他，Star……"

介绍了一圈之后，他的手指向一个女人，对我说："她叫Lily，是……Flora大学时代的好友。"

那个女人没有看我，她只是高傲地看着夏天，问他："Summer，为什么Flora没有和你一起来？"不愧是Flora的闺密，对我有着天然的敌意。

夏天摊开手，无辜地说："你都不知道，我怎么会知道呢？我跟她已经分手了。”

“我那天在机场看到国内的八卦杂志上写，你们两个不是刚刚公开恋情吗？”一边那个叫Tommy凑了过来，坏笑着问夏天。

“我们还没有公开分手的消息，你们要保密啊。”在朋友面前，夏天没有过多地掩饰。然后他连忙转换话题：“别聊这些了，我们聊聊大家的近况。Tommy，你这次回国想要做什么？”

Tommy一下子来了精神，他神采飞扬地说：“我这次要加入一家跨国公司做VC。现在国内机会很多的，尤其是互联网。”

“说得对，你做互联网方面的VC一定有前途。我们Citibank最近做了一次分析，移动互联网这个part大有可为。”叫Star的那个人说话了。

Tommy和Star立刻聊得火热。他们的嘴里时不时就会蹦出一个英文单词，这让我觉得自己和他们之间有着天然的障碍。他们聊的话题，我也完全插不上嘴。

夏天又开始问别人：“Dan，你最近在忙什么？”

“还是老样子，外科医生还能忙什么？每天都有做不完的手术。”Dan笑着回答，然后他又问Lily，“Lily，你在忙什么？”

“米兰的时装周马上就要开始了，我忙着准备自己的design呢。这次的show，我一定要让国外的设计师看到我们的实力。”Lily说话的时候，左手抱着右手的肩膀，右手在空中使劲地挥动着。原来她是个服装设计师，怪不得这么有范。

我正在偷偷地观察着Lily，她突然转过头来，大声地问我：“哦，这位……叶子小姐对吗？还不知道你是做什么的？”

也许是她的声音太大，也许是她的声音太好听，又或者是大家都很好奇。整桌的人忽然都停止了对话，一起看着我，等着我说出答案。

我忽然觉得，自己的答案很难说出口。在一堆精英人士面前，我真的很难承认，我只是一个渺小的“便利店员”。我的手心里都是汗，嘴里却一个字也吐不出来。

夏天看我没有说话，以为我很紧张。他悄悄地握了握我的手，算是宽慰我。然后他代我回答：“叶子在一家便利店工作，她是便利店员。”

他说话的语气很从容，没有任何的异样。他不在乎我的工作有多么“渺小”，对吗？

我很感激夏天。

可是，他的同学似乎都在乎。投资人、金融人士、医生、设计师……在场的所有人都沉默了片刻，空气在某一瞬间像是凝固了。最后还是夏天的死党Tommy笑着说：“Wow，好cool！”

“真可笑。”Lily的声音虽然小，我还是听到了。

是的。

便利店员和摄影师的组合，真的很可笑。

我坐在夏天的旁边，全身却开始发冷。

夏天觉察到了我的变化，他小声地问我：“没事吧？”

“没事，可能是空调太大了。”我慌乱地编了一个理由。

“Waiter，请把空调的温度调高一点，好吗？Thanks！”夏天体贴地请服务生调了空调的温度。

这样开口就说英文单词的夏天，才是真正的夏天吧。但是这样的夏天，却不是我的夏天。我看着他，勉强打起精神坐在那里，但是心却更加快速地沉了下去。

“Lily，你身上穿的，是今年最fashion的金色系吗？”Dan和Lily闲聊起来。大家的注意力立刻被吸引过去，都看着他们两个，没有人再看我。

我稍微松了一口气。

Lily继续保持着优雅的姿势，微笑着回答：“我身上这个哪里fashion呀。要说fashion，叶子小姐，你今天的妆是最近流行的舞女妆吗？”

一下子，所有的眼睛又重新落到了我的脸上。我几乎忘记了，我那该死的妆容，从一进门就让大家脸上的表情变得异样。

我不知道该怎么回答。如果我回答是，就等于承认自己的妆化得像个舞女；我如果说不是，那我这浓重的一脸妆容又叫什么呢？Lily这个看似不经意的问题下，实际上藏着一个大大的陷阱。我一旦掉进去，就会成为今天晚上最大的笑话，可是我似乎又没有办法不掉进去。

这时候，还是夏天站出来替我说话："Lily，亏你还是个设计师，这是彩妆大师Miss Tang最新设计的Bohemian妆，你都看不出来吗？"他说话的语气很认真，让人没法怀疑这句话的真实性。

Lily也被骗过了，她尴尬地笑了笑，说："是吗？果然是最fashion的妆，怪不得看着就很不一样。"

只有我知道，夏天在替我说谎，他在尽自己最大的努力不让我难堪。

"这个Miss Tang，不就是汤圆圆吗？"想到这里，我忍不住笑了。

"我妈妈想请你去我们家吃饭。"聚会结束之后，我跟夏天说。

夏天爽快地答应："好啊。不过，其实我们可以出去吃，免得阿姨那么辛苦。"

我说："但是妈妈坚持要在家里吃。"

"那好吧。"夏天不再坚持。

在出租房的逼仄空间里，我们勉强支起了一个小桌子，上面摆满了妈妈做的菜。

"好香啊，阿姨做的菜看着就好吃！"夏天看着满桌的菜，显出一副很想吃的样子。

妈妈开心极了，说：“那就赶紧吃吧。快，尝尝阿姨的手艺！”说着，给夏天夹了满满一筷子的菜。

“嗯，嗯。真好吃！”夏天嘴里塞满了东西，还不忘赞美。

妈妈笑得脸上的皱纹都开了。

“阿姨，这是什么菜？”忽然，夏天指着一道菜，问妈妈。

我和妈妈都愣住了，夏天指的那道菜再平常不过的了，但是他居然没有吃过。

妈妈回答他：“这是红烧狮子头。”

我问夏天：“你从来没有见过这道菜吗？”

“没有呀。”夏天看着我，显然不明白自己为什么要知道这道菜。

“这道可是家常菜。”我说。

夏天这才读懂了我和妈妈惊讶的表情，他说：“我从小在美国长大，爸妈离婚后，我又跟爸爸住。所以最常吃的都是西餐。回国以后，我偶尔吃中餐，但是还真是没有吃过这道菜。真是不好意思。”他挠着头，像是一个犯了错误的小孩。

看到他这样的表情，我有一点心疼。妈妈也开口说话了：“这有什么不好意思的。你还有什么菜没吃过的，阿姨以后给你做。”

“嗯，谢谢阿姨。”夏天殷勤地说。

我发现，夏天居然还挺有妈妈缘的。

夏天说起自己单亲的事情，妈妈忽然开始感慨起来。她说：“单亲家庭的孩子，就是苦一点。你是没有妈妈照顾你，我们家叶子呢？没有爸爸照顾。其实我们叶子很聪明的，要是有条件，上美国那个什么哈佛的，绝对没问题。可惜我一个人养两个孩子，负担不起，她连个大学都上不成。”

“妈……”我打断了妈妈，不想她再继续说下去。

妈妈却有一些哽咽。

夏天连忙安慰妈妈：“阿姨，没事的。以后有机会，叶子还可以继续深造，现在学习的途径那么多。”

❀ ❀ ❀

送夏天下楼的时候，他突然跟我说：“叶子，你喜欢学心理吗？你去念一个心理培训师的课程怎么样？”

我觉得很突然：“为什么忽然说这个？”

“阿姨希望你继续学习，我想帮你……”夏天说。

“以后再说吧。”我的心里有一点复杂。

夏天处处为我着想，我很开心。

可是，我们在一起的这几天，我变得越来越没有信心。夏天是生活在云端的，而我，只有踮起脚尖，辛苦地仰视，才能够看得到他的脸。我是个普通的便利店员，他是著名的摄影师。我只有可怜的高中学历，而他是美国名牌大学的毕业生。我没有办法假装忽略我们之间的差距，我做不到。

原来遇到了真正的王子，灰姑娘的心情是如此卑微。

❀ ❀ ❀

“叮咚”，便利店的门铃响了，我却还站在收银台前发呆。

一个拉着行李箱的阿姨走进便利店。看她的样子大概四十多岁，但是穿得很潮，一点都不显年纪。那位阿姨敲了敲收银台，然后问我：“Excuse me，你们这里有没有macaroni？”

“sorry，ma……什么？您可以讲中文吗？”一听到英文单词，我立刻打起十二分精神听，但还是不知道这位阿姨想要的是什么。

“macaroni就是macaroni嘛，我在国外定居二十几年了，不知道这个用中文怎么说。”那位阿姨把行李箱立在地上，有点嗔怪地说，“你没学过英文吗？怎么会不知道这是什么？”

我立刻变得紧张起来：“对不起，对不起。我的英文不是很好。这是什么类的东西呢？”

“一种食物，一种面。”那位阿姨说。

我试探性地问：“方便面？”

那位阿姨摇摇头。

“鸡蛋面？”

她还是摇头。

“打卤面？”

“炸酱面？”

“……”

我绞尽脑汁地说出各种面，但是那位阿姨只是一直摇头。“要是夏天在这里就好了，他一定知道这位阿姨要的到底是什么？”我一边急得直冒汗，一边想起了夏天。

那位阿姨忽然说：“你这里的电脑可以上网吗？”

对了，可以去网上查中文。我这才反应过来，连忙说：“可以上网，麻烦您告诉我这个单词怎么拼，我来搜。”

那位阿姨叹了口气，说：“你们店里员工的质素太低。英文不会也就算了，连解决问题的方法都想不到吗？”

她这么说，我的脸立刻红了。店长要是知道，我影响了满分便利店的声誉，肯定会生气的。

那位看我不吱声，便说：“m-a-c-a-r-o-n-i，你查一下吧。”

我立刻百度了一下，原来她要的是通心粉。我从收银台走了出来，把她带到通心粉的货架旁边。

那位阿姨看到通心粉，变得特别开心。她也不再挑剔我，立刻聚精会神地挑选起商品。一边挑，还一边自言自语地说："Summer最爱吃这个了。"

她的儿子也叫Summer吗？跟夏天的英文名字一样。

我正要向这位阿姨表示一下友善，"叮咚"，店里的门铃忽然响了。

"姐！"进来的人居然是弟弟叶飞。

我很惊讶："你怎么来了？你不是应该在学校吗？"

"我……我……"叶飞忽然支吾起来。

我连忙走过去拼命地晃他："快，告诉姐怎么回事！"

叶飞只是低着头。过了好一会儿，他才小声地说道："你能不能再给我点钱？"

"什么？"我正想再问个清楚，那位买通心粉的阿姨大声地说："Excuse me，我要买单！"

"好的，您稍等。"我立刻回答着，赶紧走过去收银，"一共20元。"

那位阿姨付完钱之后，忽然说了一句："一个质素低，一个吃软饭，国内现在怎么这么乱呀？唉……"说完，她拉起拉杆箱匆匆地走了。

"阿姨，不是您想的那样。"我急忙说。

那位阿姨笑笑："Anyway, I see it."然后，她不管我想说什么，自顾自地走了。

我也顾不得向她解释了，急忙转过身跑到叶飞身边，厉声问他："为什么又要找我要钱？学费和生活费不是已经寄给你了吗？"

"我……我……"叶飞又吞吞吐吐起来。然后，他忽然蹲在地上大哭了起来。

"到底怎么回事？你被人骗啦？"看见叶飞这样，我变得更加着急。

叶飞摇摇头，他像是下定了决心，终于向我说出了事情的经过。

原来，叶飞听说妈妈终于可以结婚，就想赚点钱给妈妈买结婚礼物。他拿到学费以后，正好有同学说炒股可以赚钱，就把学费都投进去了。本来想赚点钱就出来，没想到，赶上股市大跌，叶飞的钱亏了三分之一。

“马上就是交学费的最后期限了，我实在是没办法，只有来找你坦白。姐，我对不起你！”叶飞说完事情的原委，歉疚地看着我问，“现在该怎么办？”

“能怎么办？”我的脑海里闪过两个人，夏天和宝强哥。夏天肯定会帮我，只是这样一来，在他面前，我会变得更加自卑。而宝强哥，既然没办法跟他在一起，我又怎么能再欠他的人情呢？可是，叶飞的学费又不能不交，怎么办才好呢？

这时候，我的手机响了。

“喂，夏天，什么事？”我接通了电话。

夏天说：“亲爱的，我妈妈来了。她想请你和你妈妈晚上一起吃饭。你们有时间吗？”

“有时间。阿姨什么时候来的？之前怎么没听你说？”我问。

“她也是刚到的，事先都没有告诉我。”夏天回答，“那晚上六点，我去你家接你和阿姨，就这么定了。”

“好。”

挂断了夏天的电话，叶飞又愁眉苦脸地看着我：“姐，你想到什么办法了吗？”

我迟疑了一下，还是拨通了宝强哥的电话。如果一定要选择的话，我选择保住自己在夏天面前的尊严，即使这会让我欠下宝强哥一个人情。

“喂，宝强哥。”我打通了电话。

宝强哥显得很惊喜：“喂，叶子啊，找我什么事？”印象中，我好像很少主动打电话给宝强哥，从前总是他打给我比较多。

我稍微停顿了一下，问他：“可以借我一点钱吗？”

“要多少？”他甚至连原因都没有问。

我看了身边的叶飞一眼，他伸出三个手指。于是，我对宝强哥说：“3000吧。”

“什么时候要？我怎么给你呢？”宝强哥问。

“我说，你打到我工资卡里吧，回头我给你发账号。对了，不要告诉别人，帮我保密，好吗？”我忐忑地说。

“好。”宝强哥没有多说一个字。

如果不是因为我和宝强哥从小一起长大，太像兄妹，也许我会爱上他吧？他是这样善良，体贴，善解人意。上帝，请你保佑宝强哥，赐给他一个美丽又温柔的女朋友。

夏天到的时候，我、妈妈还有叶飞已经在楼下等着了。

“给你介绍一下，我弟弟叶飞。他从学校过来玩一天，今天刚到。叶飞，这是夏天。”我介绍夏天和叶飞互相认识了一下。

叶飞的事情总算解决了，我给他买了第二天一早的火车票回学校。所以，晚上吃饭，他也跟着我们一起来了。

夏天笑着说：“真是巧了，今天的意外来客还真多。我爸爸今天居然也从美国飞过来了。哈哈哈，太好了，今天家庭成员都到齐了！”

到了吃饭的餐厅，夏天指着一位叔叔和一位阿姨向我们介绍：“这是我爹地，是加州理工大学的教授。这是我妈咪，她是律师。”

我看着夏天指着的那位阿姨，一下子瞪大了眼睛。原来夏天的妈妈正是今天到便利店来买通心粉的那位阿姨。我吃惊地说：“阿姨，是您！”

夏天的妈妈也看到了我，她不屑地笑了一下，看着夏天说：“你把那么优秀的Flora给甩了，就是为了这个质素奇差的便利店员吗？”

“妈咪！”夏天不满地看着自己的妈妈，说，“你不会偷偷地调查我女朋友吧？”

“我没有。”夏妈妈气鼓鼓地说。

夏天问她："那你怎么知道叶子是做什么的？"

夏妈妈冷笑一声："因为我下午去给你买macaroni的时候，正好碰到了这个便利店员。"

我看到他们母子气氛紧张，连忙说："夏天，我今天的确下午在店里跟阿姨碰过面了。"

没想到，夏妈妈瞪了我一眼，说："我儿子又不是不相信我，需要你证明吗？"

我一下子不知道该说什么才好。

这时候，站在一边的夏爸爸说话了："大家先坐下再说话吧。叶子，这位是你母亲吗？还有这个，是你弟弟吗？给uncle介绍一下，好吗？"

我点点头，指着妈妈说："夏叔叔，这是我妈妈，她一般都住在我们老家四川，这几天正好来看我。"

然后，我又拉过叶飞，说："这是我弟弟，叫叶飞，他现在在中国人民大学上学。"

"哦，是吗？"夏爸爸听说叶飞是人大的学生，很开心地说，"我原来也是人大的，人大是个好学校呀。"

"哼，果然是一个学校出来的，都不靠谱。"夏妈妈在一旁，冷不丁地又说话了。

一下子，本来已经开始慢慢热络的气氛又迅速地降温。

夏爸爸气得不得了："你对我有偏见也就算了，为什么要把人家小叶也连累进来？"

夏妈妈也不甘示弱："他可没有被连累。你问问他，他为什么不好好上学，忽然跑来找他姐姐？"

"阿姨……"我想阻止夏妈妈把叶飞的事情说出来，可是已经来不及了。妈妈还不知道叶飞把学费亏掉的事情。

果然，妈妈用严厉的目光盯着叶飞。显然，她听到夏妈妈的话，也觉得叶飞的忽然出现有一些异常。

“他是来找他姐姐借钱的！”夏妈妈见叶飞低着头不敢吭声，便大声地说出了事情的真相。

“叶飞！”妈妈叫着叶飞的名字，气得发抖。

叶飞立刻害怕地抓住我的胳膊：“姐，救我！”

我连忙挡在叶飞身前，替叶飞解释：“妈妈，你别怪叶飞。他本来是想用学费来炒股赚点钱，给你买结婚礼物的。谁知道赶上股市不景气，一不小心亏了钱，他也不想的。他也是为了你。”

听到我这么说，妈妈的语气已经软了下来：“叶飞，是这样吗？”

“嗯。”叶飞歉疚地回答。

夏爸爸又说话了：“原来是这样，孩子嘛，有时候喜欢冒一点险。不过，也算是情有可原，叶妈妈你也别生气。有这么孝顺的孩子，你应该高兴才对啊！”

妈妈冲夏爸爸笑了笑，然后她对叶飞说：“下不为例，知道了吗？”

叶飞乖乖地说：“哦。”

坐在我身边的夏天偷偷捅了我一下，他小声问我：“那叶飞的学费还够吗？要不要我……”

“已经解决了，你放心吧。”我打断夏天，故作轻松地说。

夏天本来还想再说什么，想了想，最终还是没有再问我。

很久没有说话的夏妈妈忽然又说话了：“叶子妈妈，你这么大年纪了，还要结婚啊？”

突然被问起这个问题，妈妈有些尴尬。她勉强地笑着回答：“叶子的爸爸去世得早，我不过是找个伴。”

夏妈妈又继续问：“听说，你的未婚夫可不止一个，怎么到现在还没结成呢？”

“之前的那些男人都是骗子。”妈妈说。

夏妈妈夸张地笑了一下："哈，是他们骗你？还是你水性杨花，喜新厌旧呀？"

"你能不能不说话？"夏爸爸忍不住开口，想要喝住夏妈妈。

夏妈妈却依然不依不饶。她看着夏爸爸说："我一说水性杨花，喜新厌旧，就刺痛你了吗？你反应那么激烈，是不是好像在说你呀？"

我知道夏妈妈为什么这么说。夏天告诉过我，当年夏妈妈之所以要跟夏爸爸离婚，就是因为怀疑夏爸爸爱上了别的女人。

夏爸爸气得脸都白了，他说："你永远都这么不讲道理，这么胡搅蛮缠！还好我当年跟你离婚了，不然我真是要不好过一辈子！"

一听夏爸爸这么说，夏妈妈火了："What's wrong with you？当年做错事情的人是你！再说，我这次回来，不过是不想儿子和一些莫名其妙的人在一起。我怎么不讲道理了？"

"我就是猜到，Flora把夏天的事情告诉你，你肯定会回来干预儿子的感情生活。这么多年，你都没有跟儿子生活在一起，你了解儿子的想法吗？我看叶子很nice，比那个强势的Flora更适合儿子。"夏爸爸这样维护我，我很感激。

但是现在显然不是说感谢的时候，因为夏妈妈很快变得更加激动。

"你说我没跟儿子生活在一起？当年是谁抢走儿子的抚养权，把儿子从我身边夺走的？你不喜欢Flora，还不是因为Flora跟我像，又跟我亲近？"夏妈妈越说越委屈，最后居然呜呜地哭了起来。

夏天看到爸爸妈妈闹到这个地步，显得很痛苦。他走到夏妈妈身边，对她说："妈咪，本来我以为你跟爹地约好了，一起来看看叶子。没想到你……"

哽咽了一会儿，夏天又说："爹地说得对，你真的不太了解我的想法。我喜欢的是叶子，我已经不爱Flora了。"

夏妈妈听到儿子这样说，赌气地说："好，原来你也不需要妈咪了。那我不管你们了，我明天就回美国去。"

“阿姨，夏天其实很需要你。”看到夏妈妈失落的样子，我很不忍，连忙劝慰她，“上次他在我们家吃红烧狮子头，还说，要是您能给他做一次这个菜就好了。”

“是吗，Summer？”夏妈妈的眼神立刻软下来，温柔地看着夏天。但是瞬即，她又倔强地板起脸来，看着我：“谁要你替我儿子说话！”

“妈咪！”夏天无奈地喊了一声。

夏爸爸也一脸的尴尬。

预想中的温暖家宴就这样不欢而散。

回到家的时候，夏天给我发了一条短信：“叶飞的学费你究竟是怎么解决的？”

我思考了一下，诚实地回复：“找宝强哥借的。”

“为什么不找我解决？我才是你男朋友。”夏天的短信里这样说。

我没有解释我的理由。因为我不想告诉夏天，我向他隐瞒自己的问题，只是为了在他那里维持自己可怜的自尊。

“好好陪叔叔阿姨。晚安。”我避开了这个话题。

第二天，便利店刚刚开门，夏妈妈便走了进来。

我惊讶地看着她。

她的脸上没有任何表情，只是趾高气昂地跟我说：“在我回美国之前，我还是要最后来劝你一次，离开Summer。门不当户不对的婚姻是不会得到幸福的。”

“我会认真思考您说的话。”我真诚地说。

夏妈妈有一些意外，她说：“其实你倒是个人品不错的女孩，如果你质素再高一点，或许我就不会反对。”

“谢谢阿姨鼓励。”我再一次真诚地说。

夏妈妈刚刚离开不久，夏爸爸又走进了便利店的大门。

“夏叔叔好。”看到夏爸爸，我主动地向他打了招呼。昨天他曾经替我说过话，这让我对他很有好感。

“叶子，我是来跟你告别的，我要回美国了。”夏爸爸微笑地向我道别。

“您不再多住几天吗？”我问。

夏爸爸说：“我本来就是听Flora说了你和Summer的事情，才匆忙赶过来的。Flora希望我劝你们分开，但是我了解Summer，你才是最适合他的女孩。相信叔叔！”

夏爸爸这样说，我很开心。

这时候，夏爸爸又说：“你们很合适，但是也注定会遇到很多困难。毕竟，你们是来自不同的环境，有着不同经历的两个人。你要有这个准备，知道吗？”

“嗯。我会记住叔叔的话。”我说。

夏爸爸又看着我，说：“最后一句话，小心Flora。”

说完，夏爸爸拍拍我的肩膀，走出了便利店的大门。他坚持不让我送他，说自己可以搞定。

夏妈妈和夏爸爸匆匆地从美国赶来，又匆匆地回去，都是为了我。他们一个告诉我，我和夏天不会幸福。另一个却又说，我和夏天是最适合的。到底真正的答案是什么呢？我只知道，我和夏天来自两个世界，我们要在一起，真的不容易。

晚礼服告白：
穿上晚礼服不一定是公主，正如王子有时也会穿T恤。

今天是拍摄可俐儿广告的日子。

我和夏天都要去店里，所以他特意一大早来接我。和他一起去工作，这种感觉让我觉得幸福。

下车的时候，夏天亲吻了我的额头。我像一只温顺的小猫，享受着他的宠爱。

他告诉我："因为我答应了Flora，仍然和她维持表面上的情侣关系，所以等下可能会碰到一些让你尴尬的情况。但是你一定要相信我，在我心里，你才是我的正牌女友，好吗？"

我略带失落地点点头。

看到我有点不开心，他连忙摸着我的头发，用最温柔地声音对我说："不要害怕，我会随时看着你，保护你，不会让你受到任何伤害。"

我很喜欢听他这样对我说话。于是，我在心里暗暗下定决心：为了夏天，我会尽量地勇敢。

我和汤圆圆打扫完便利店之后，夏天和一帮工作人员还在做着拍摄前的准备工作。

我远远地看着夏天，他认真工作的样子真的很帅。男人在工作的时候，眼神、气场都和平时不一样。此时的夏天就像是一台被发动的马达，高速地运转着，仿佛永远不知道疲倦。

夏天发现我在看他，向我招手："来，我正好教教你怎么装胶卷吧。"

汤圆圆推了我一下，说："赶紧过去吧！"

"这我拿手，小时候我最喜欢帮妈妈装胶卷……"我开心地走了过去。

夏天微笑着解释："但莱卡，和别的相机不同。你看，它的胶卷是从底部装的。先把胶卷缺口一边裁下一段，这一段是10厘米，再将胶卷从上往下插入相机的缝隙……"一边解释，他一边熟练地装好了胶卷。

我虽然学得很仔细，但还是有点云里雾里。我皱着眉头说："看来学好摄影真不容易，连装个胶卷都这么难。"

夏天摸了摸我的头，鼓励地对我说："相信自己，你可以的。"

"嗯。"我连忙用力地点点头。

这时候，一个工作人员走过来，看了我一眼，问夏天："这位是谁？新雇的小妹？"

夏天笑了一下："Thomas，别开玩笑了。她是我朋友，叫叶子，在这家便利店工作。"

"哦？朋友？"那个Thomas显然有点惊讶，仔细地打量着我。

我心里有点别扭，但还是伸出手，微笑着对他说："你好！"

"你好。"Thomas勉强跟我握了一下手，走开了。

这时候，我看见Flora已经到了店里，她和一个男模特模样的人一边说话，一边变换着不同的pose，大概是为一会儿的拍摄做排练。

忽然，Flora大声地喊了一句："夏天，你过来一下！"

夏天犹豫了一下，还是走了过去："怎么了？"

"你来帮我们看看嘛，阿伟的pose感觉不太对呢。"Flora说。语气里略带一点撒娇，估计只有我这双敏锐的情敌耳朵才能够听出来。

"你们来几个pose我看看？"夏天说。

那个叫阿伟的男模特立刻走到Flora身边，摆了几个姿势。连我都能看出来，那个阿伟拥抱Flora的时候相当僵硬，手都不知道往哪儿放，一点都不像个专业模特。

夏天摇摇头："阿伟，你的感觉的确不太对，有点僵硬，你们要表现的可是情侣的感觉。"

阿伟尴尬地笑了笑："我是把握得不太到位，要不夏大师来示范一下？你和Flora那才是货真价实的情侣呢！"

Flora也说话了："夏天，我们就给他示范一个好了。免得他总是束手束脚的，一会儿耽误拍摄！"

"好吧。"夏天大方地答应了。

所有的工作人员都往这边看了过来。

那个叫作阿伟的男模特自动退到一边，夏天帅气地走到Flora身边，身材和姿势一点也不输给那个男模。

夏天站在Flora面前，深情款款地望着Flora，Flora也用同样的目光看着他。他们的手都环绕着对方的后背。两个人离得很近，他们的身体几乎贴在了一起。

"果然是金童玉女啊！"工作人员在小声地议论着。

只有我微微有一点吃醋。虽然我也知道，这不过是场表演，是很平常的示范。

"叶子，那个Flora绝对是故意的……"汤圆圆义愤填膺地要说话，被我制止了。

这时候，夏天迅速地和Flora分开。他对旁边的男模说："知道了吗？就是这种感觉，你们是情侣，想象一下，现在你们在蜜月……"

男模特点了点头。

夏天偷偷地看了我一眼。

我冲他笑笑，向他示意我没事。

这时候，Flora远远地瞪了我一眼。在她的眼神里，充满了妒忌和挑衅的味道。

我心里一惊。

☘ ☘ ☘

夏天继续指挥着摄影助理布置现场。

Flora突然走到店里的冰柜前，拿了两瓶草莓牛奶走到我面前："帮我刷一下吧？我要买！"

我连忙走到收银台。

"一共五元，谢谢。"我打出单子。

Flora递给我十块钱，对我说："不用找了。"

"Flora小姐，这是五块钱找零，请你收起来吧。"我还是给了她找零。

"五块钱而已，就当是小费好了。"Flora无所谓地说，并不伸手来接我给她的钱。

我坚持地重复了一遍自己的话："这是五块钱找零，请你收起来吧。"

Flora正想继续说点什么，一旁的店长说话了："对不起，按规定，本店店员不收小费。"

"这样，那好吧！"Flora这才收起我给她的找零，讪讪地说。

这时候，汤圆圆也走了过来，气势汹汹地说："不过五块钱而已，装什么酷！"

Flora看着汤圆圆，忽然说："小姐，我是不是在哪里见过你？"

"我们第一次见面不就是在这里？那天你来买东西？"汤圆圆不客气地回答她。

"哦，是吗？看来我认错人了。不过真的好像！"Flora尴尬地笑了笑。

"谁愿意跟她认识呀！"汤圆圆在Flora的背后做了一个鬼脸。

Flora走远以后，我悄悄问店长："你不是Flora的超级粉丝吗？怎么反而帮起我来啦？"

店长说：“她不过是个不把我放在眼里的小明星，你可是像我的亲生女儿一样啊！我怎么会让她欺负你！”

我感激地看着店长笑了。

☘ ☘ ☘

“夏天，喝一瓶草莓牛奶吧！”Flora朝夏天身边走去，大声地说。

我知道，她只是想让我听见。

夏天拒绝了：“我忙着呢，等一下再喝。”

“我知道，你本来不爱喝草莓牛奶，可是因为我喜欢，你后来不是也爱喝了吗？”Flora撒娇地说。

原来夏天爱喝草莓牛奶是因为Flora！

明明知道她是故意说给我听的，我还是吃醋了。这就是恋爱中的女人，敏感得禁不住一点点的挑拨。

“别理她！”汤圆圆也看出我有一点酸溜溜的，在我旁边小声地安慰我。

这时候，这个广告的监制走到工作人员中间，拍了拍手。

他开始介绍今天这支广告的拍摄创意：“我们这个广告的大致创意是这样的，两个女人，一个是美丽耀眼的女王，另一个是普通自然的邻家女。一个男人在便利店同时遇到了这两个女人，他会选择谁？当然是女王。因为我们可俐儿的宣言是：做女人，就要最耀眼！美丽耀眼的代表当然就是我们的女王——Flora小姐！”

在众人的掌声中，Flora优雅地微笑着，向大家点点头。我也跟着大家鼓起了掌，就算她现在是我的情敌，我也没办法否认，她太光彩照人了，浑身上下焕发着女王般的美丽和高贵。看着Flora在人群里备受瞩目，我真的有一点自卑。

夏天真的放弃她，爱上了我吗？

监制清了清嗓子，继续说下去：“而清新自然的邻家女呢……”监制在人群中寻找了一番，脸上的神情变得有点恼火，“Cindy呢？Cindy哪去了？”

一个助理跑过来，诚惶诚恐地说：“Cindy还没有来，手机也打不通。”

“她还想不想干了？再继续打打看！”制片人生气地说。

Flora走到她身边，说：“陈曦，我的时间可是有限的。要不然先拍我单独的那一段吧！”

“只有这样了。开拍！”监制无奈地说。

Flora向拍摄场地走去，后面跟着几个拎着大包小箱的助理。她的气场相当地强大，原本挤在一起的工作人员迅速地让开，人群像海潮一样地退向两边。

“天哪，也太有范了吧！”店长在旁边不禁看呆了，完全忘了跟我说过的那些同仇敌忾的话。我当然不会怪店长，因为就连我也忍不住被她的气场折服了。

Flora穿着十厘米的高跟鞋，换了普通模特恐怕连路也走不好，但是她却可以轻松地蹬着这双鞋，摆出最合适的pose。那份笃定和自信，别人不要说胜过她，就连模仿都是很难的。

“不愧是Flora！”旁边的工作人员在小声地称羡。

Flora听到了他们的议论，高傲的笑容一闪而过。

夏天走了过来，开始拍摄。他每按一下快门，Flora就变换一个姿势。仿佛不需要思考，Flora就知道下一个姿势应该怎么做。

四周很安静，工作人员都轻手轻脚地忙碌着，只有照相机的“咔嚓、咔嚓”声在摄影棚里响着。

我不想闲站在一边，看着工作人员都在紧张地忙碌，也想帮忙。

这时，我看到Thomas拿着东西从旁边走过。他看上去好像很吃力的样子。我连忙一个箭步过去帮他。但是Thomas却好像完全不认识我，用手阻止我碰到他手里的东西，小声地说：“别动。”

我有点尴尬地把手缩了回来。

正在拍照的Flora忽然皱了一下眉。周围的工作人员不由得紧张起来，不知道这位平面女王哪里不满意。

Flora看着我和Thomas，冷冷地说："不要发出声音，保持安静，understand？"

Thomas连忙谦卑地向Flora道歉："对不起，对不起！"

夏天看到这个情况，便说："Flora，要不然你先休息一下吧。"

我身边的Thomas瞪了我一眼，凶巴巴地说："越帮越忙！"

周围的人也全都看着我，小声地议论着什么。我的耳根一阵发热。

我心里一阵委屈，下意识地朝夏天看去。夏天正蹲在笔记本电脑前查看之前拍的照片，根本没有注意我。他拿起桌边的水预备要喝，却发现瓶子已经空了，便又放了回去。

"帮夏天做点事情总不会有问题吧！"我这样想着，便跑到货架上拿了一瓶水，付了钱以后，拧开盖，预备悄悄地放到了夏天身边的桌子上。

我走到桌子旁边，刚要把水放过去，却不知道被谁撞了一下。

"啊！"我大叫一声，手里的水打翻了，水不偏不倚倾洒在夏天的笔记本电脑上……

撞我的人是Thomas。虽然他迅速地逃走了，但我还是看到了他。

夏天的计算机立刻自动关机，几个助理连忙扑过来收拾。夏天更是相当紧张，这个计算机里都是他的心血。Flora也连忙走过来，盯着出现故障的笔记本电脑。现场陷入一片混乱，有人不悦地看着我，有人在小声地指责我。明明有不少人看到了Thomas撞我，却没有人说出真相，我百口莫辩。

"对不起，对不起！"我惊慌失措地说。

Flora大声地训斥我："你也太不小心了！万一照片没了，你负得起这个责任吗？"

"这不关叶子的事，是那个人……"汤圆圆挺身而出，原来她也看到了。她的手指向Thomas的方向，可是Thomas却已经消失无踪了。

汤圆圆气极了，却没有办法。

“对不起，我只是想帮忙……怎么会弄成这样呢……”说话的时候，我一直用求助的眼神看着夏天。今天早上他跟我说过，他会保护我的。

夏天终于说话了：“有自动保存，应该没问题的……”但是他说话的时候，并没有抬头看我一眼。

我有一点失落。

这时候，电脑重新启动了，好像没有什么异常。

我总算松了一口气。

这时候，监制大概听说出了意外，跑了进来。他问夏天：“没事吧？”

“没事，可以拍下一组了。Cindy来了吗？”夏天故作轻松地说。

监制皱起了眉头：“我正要跟你说，Cindy出了点小车祸，住院了。”

夏天立刻很吃惊地问：“那她什么时候能好？”

“至少今天肯定没法出现在这里。”监制无奈地耸耸肩。

“那怎么办？”夏天问。

站在一边的Flora忽然说话了：“可以让叶子来演。”

我和所有的人都呆住了。“她为什么要推荐我？”我惶恐地看着她，不知道她为我准备了什么圈套。

监制问Flora：“叶子是谁？”

Flora指着我：“就是她，这个便利店的店员。你们不觉得她很清新，很自然吗？”

监制仔细地打量了一下我，然后猛地点头：“嗯，我觉得她可以。”

“不行，不行，我从来没有拍过广告！”我急忙摇头。

这时候，Flora走过来，优雅地伸出手扶着我的肩膀，无比真诚地说：“你可以的，我们都相信你！”

我愣了一下，不知道她为什么忽然对我这么热情。

Flora继续说：“你好，叶子。好像还没正式介绍过，我叫Flora，翻译成中文就是花神的意思。”

“我知道。”我有些疑惑，我们明明早就已经知道彼此。

这时候，Flora微微偏头，摆出妩媚又好像很无辜的表情，在我耳边轻轻地说：“这真是太巧了……怎么刚好叫这个名字呢？不是说，叶子永远只能是花的陪衬吗？这么说，你永远是我的陪衬了。”

听到这句话，我的脸一下子煞白。原来，这就是她解释自己名字的用意。

店长在一旁很激动地说：“傻丫头，发什么呆，赶紧答应啊！这可是千载难逢的机会啊！你出名了，还能帮我们便利店打响名声，太好了！”

汤圆圆也催促我赶快答应下来：“你发什么愣啊？你不去我还想去呢！”

他们都没有听到Flora刚才说的话吗？

我刚刚准备拒绝，Flora却转头对夏天说：“夏天，让你朋友帮我们这个忙啦！她真的很合适！”

“你自己决定，要不要试试看？”看着夏天阳光一般的眼神，我充满了力量。

我的脑中闪过在“荒野少女恨”看到的一句话：“没有奋力一试的勇气，就不可能收获最美丽的风景！”想到这句话，我好像一下子获得了无穷的勇气。

我看向夏天，轻轻却又坚定地点点头。

夏天见我答应了，便对监制说：“好，就她吧！”

Flora重新背对着夏天，对我露出诡秘的笑容，她说话的语气却依然显得很真诚：“我就知道你会答应的。”

从那个笑容里，我嗅出了一丝来者不善的味道……

❀ ❀ ❀

经过化妆师的一番打扮以后，我从化妆车里走了出来。

虽然化妆师说只是化了点淡妆，但我还是不太习惯，尤其还有那么多双眼睛直勾勾地盯着我。在众人的目光中，我下意识地整理了一下裙角，又拢了拢头发。

我一直抱着忐忑的心情，直到看见汤圆圆和店长脸上的惊讶和兴奋，我才放心了一些。

“很好，很不错，有一种清新自然的美！”监制仔细地看了我一下，高兴地说。

我连忙偷偷看了一眼Flora，她正站在一把助手撑着的遮阳伞下。

Flora看到我换装后的第一眼，闪过一丝惊讶，但片刻又恢复了平静。她双手抱在胸前，自信地昂着头，扬起下巴看着我。她心中一定早就笃定，我再怎么惊艳，也不可能胜过她。

这时候，夏天走到我面前，开始认真地检查我的妆容。

Flora的脸上浮现出不易察觉的醋意，但是我发现了。

夏天的表情很严肃，他站在我面前，仔细看着我的脸，眉毛，眼线，口红……我紧张而又甜蜜地接受着他的注视。

忽然，夏天皱着眉头，不悦地说：“太浓了，不适合她，重新上妆。”

我惊讶地看着他，不知道他为什么要给我难堪。但是夏天没有再看我，而是转身走开了。

Flora的脸上，渐渐浮现出胜利的微笑。

拍摄开始了，这组照片要表现的，是女王和平凡女孩的对照。所以，我和Flora要同时出现。对着镜头，我完全没有自信，站在那里手足无措，和Flora的专业表现形成鲜明的对比。

夏天则完全处于职业化的工作状态，并没有因为我是他的女朋友又是个外行就放宽要求。他大声地说：“叶子，注意你的手，手再抬高点！”

我赶紧把手抬高。

他又说：“叶子，不要像个木偶一样，自然一点，放轻松！再往旁边来一点！”

我按照夏天的指令往旁边挪动。我的眼睛有一点痒，大概是第一次戴隐形眼镜不太适应。但是为了不影响工作，我一直忍着。

“啊哟！”我不小心踩到一根电线，差点绊倒。

一旁的打光师不但没有同情我，反而奚落道：“你跌倒没关系，可别把我的灯泡给打破了！”

我尴尬地笑了笑，勉强站起来，重新摆好了pose。这时候，眼睛实在痒得难受，我便下意识地揉了一下。

“别动！好不容易刚才那个pose有点感觉。”夏天喊了一声，同时皱了皱眉，叹了一口气。

他根本不知道，我已经尽了最大的努力。化妆师给我戴的隐形眼镜彩片，让我相当地不适应。尽管这样，我还是强忍住难受，默默地坚持着。刚才实在忍不住了，我才伸手揉了揉眼睛。

我知道他为什么会这么生气。因为和我相比，Flora的表现实在太好了，简直可以称得上完美！

Flora总是能够专业地对着镜头，摆出各种pose和表情。大概是为了显出我的丑态，她的状态更是比单独拍的时候还要好。她总能做出最优美的姿势，她的笑容总是足够灿烂，她的周身也似乎总是闪耀着光芒。

而我，就像是一个被推上舞台的侍女，扭捏，茫然。我开始有点后悔，自己为什么要答应演出这个广告呢？

我还在胡思乱想的时候，夏天继续指导我和Flora摆pose。

“叶子看着Flora，表现出崇拜的样子！Flora，你只要表现出高傲的感觉就好了！”

“好，下一个！叶子和Flora，你们俩同时拿起一个焦糖布丁。Flora表现出礼貌谦让的感觉，叶子表现出自卑让步的感觉。一个自信主动，一个胆怯被动。”

“再下一个。阿伟，你过去！叶子和Flora同时走过你身边，你先是被叶子吸引，但是很快又被Flora震撼。”

“嗯好，再一个。叶子站在阿伟左边，露出清新的笑脸。Flora站在阿伟的右边，露出高贵的笑脸。阿伟你站在中间，背对着镜头，但是脸是朝向Flora那边的，暗示你的心最终被Flora征服。明白吗？”

这个广告的情节，是在暗示现实吗？

爱情的胜利者永远是闪亮的女王，平凡女孩只是男人生命中的过客。像Flora这样的女王，只需要摆出高傲的姿态，男人就会主动地拜倒在她的石榴裙下。而像我这样的平凡女孩，只能默默地崇拜着女王，艳羡男人和女王的华丽爱情。

爱情，对于女王来说，只是点缀王冠的战利品；而对于平凡女孩来说，虽然是全部，但却永远无法得到。想到这里，我黯然神伤。

夏天又示意我们道：“你们三个人再分开，随意地摆一些pose，我再补拍几张。”

听夏天这样说，阿伟便开始一直围绕在Flora身边，摆出各种pose。而我就像是被丢弃的洋娃娃，孤零零地站在一边。

夏天并没有调整这样的站位，大概这本来就是符合剧情的吧。

☘ ☘ ☘

“OK，收工了！”这时候夏天说。

拍摄终于结束了，我长吁一口气。工作人员在收拾器材和道具。我连忙跑到一边，用力地揉了揉眼睛。

“你怎么了？”夏天不知道什么时候来到我身后。

我表情痛苦地解释：“我戴不惯这个，眼睛磨得不太舒服……”

夏天急了：“那你怎么不早说呢！”

“我……”我有点委屈，在心里嘀咕：“我这么拼命，还不是不想在你的同事和前女友面前丢脸。你不但不心疼我，还这样质问我？”

夏天正要继续说话。几个工作人员跑了过来，说：“走啦，走啦，今天老总请客，去喝酒！”就这样，他被这几个人硬生生地拉走了。

“Emi，你帮她看一下！”夏天临走的时候，喊来了没有走远的化妆师。

叫Emi的化妆师本来已经要上车了，她不情不愿地走过来问我：“怎么了？”

“哦，眼睛不太舒服……”我窘迫地说。

Emi着急收工，她不耐烦地说：“没戴过彩色隐形眼镜啊？取下来就好了啦。”

我只好自己默默地取出隐形眼镜，放在一个纸杯里递给Emi。

Emi愣了一下，接过纸杯，随手扔进了垃圾桶：“扔掉就好了嘛，你用过的别人还怎么用？老土！”

我杵在原地。

对于我而言，夏天的世界是一个完全陌生的世界。我有太多的地方不了解，他身边的人又都不喜欢我。

我真的可以很好地融入他的世界吗？我没有信心。

❀ ❀ ❀

“叶子，过来送送客人。”店长招呼我。

我心情复杂地走到门口，跟店长和汤圆圆一起，机械地说着“欢迎下次光临”之类的话。

恍惚间，我看见Flora坐在自己的车里面，一直看着我。

“她还想干什么？”我的心里一紧。

直到工作人员的车子都开走以后，Flora才走下车，来到我面前：“叶小姐，既然你是夏天的现任女友，他一定跟你说了，我和他合作的作品又得奖的事情吧？”

我有点茫然，这件事情夏天并没有跟我说过。我不明白，Flora为什么要告诉我，难道是为了炫耀吗？

Flora看着我，再次露出诡秘而美丽的微笑：“过两天会有一个为我和夏天举办的庆功派对，我想你的出现一定会给夏天很大的惊喜。”说着，她从随身的小包里取出一张精致的卡片递到我手上。

转身离开时，她特意对我说：“要保密哦，这是给夏天的惊喜！记得准时到。”

Flora开着豪华的双门跑车绝尘而去。

街道重新恢复了平常的冷清，只留下我一个人呆立在原地。

❀ ❀ ❀

“你好？”这时候，一个人走过来跟我打招呼。

这个人好眼熟，我努力地回想了一下，才记起他是那个《娱乐周刊》的记者，之前来过一次我们店里。

汤圆圆说过，这个人不怀好意。于是，我警惕地问他：“有什么事吗？”

“我看刚才拍广告的时候，你演得很好呢！”他说。

他这话好像没有什么恶意，我连忙说：“谢谢。”

“你是怎么选上的？参加海选？”他开玩笑地问。

我不好意思地笑了：“不是的。他们原来的模特出了车祸，我是临时被选上的！”

他“哦”了一声，说：“原来是这样。你可真够幸运的！”

我正想说“谢谢”，他却没有再理我，转头就走了。

这时候，汤圆圆从店员休息室出来，看到那个人的背影，紧张地问我：“他问了你什么？”

我说：“没问什么，就是闲扯了几句。”

汤圆圆这才放心下来，叮嘱我说：“跟这种狗仔打交道千万要小心，他们鬼着呢！”

我点点头。

往眼睛里滴过眼药水后，我闭上眼睛休息了一会儿。虽然摘掉隐形眼镜已经有一段时间了，但我的眼睛还是不太舒服。

再睁开眼睛的时候，我一眼看到了Flora下午给我的那张宴会邀请卡。我一直在想这件事情：“到底去还是不去？要不要告诉夏天？”

我拿起那张卡片仔细地看了看，卡片的封面有精美而复杂的图案。不知道为什么，这样的图案让我想起了Flora那个诡异的笑容。

这一定是一个挑衅。

去？还是不去呢？

在烦躁的情绪中，我下意识地启动了电脑，登录了“荒野少女恨”的微博。不知不觉的，每当遇到问题，我就会想起这个微博。就好像是上天注定一样，在这个微博里，我总能找到问题的答案。

博主最近更新的一张照片，照片上是一片带着晨露的绿叶。博主在照片的说明文字里写下了这样一句话：“迎向晨露的叶子，越发拥有自信。”

“迎向晨露的叶子，越发拥有自信……”我将这段文字又默念了一遍。忽然就轻松了，只要我足够自信，我就可以战胜一切的，对吗？

我看着计算机旁边的一盆茉莉花叶子，对自己说："对！叶子！要有自信！要加油！叶子！你可以的！"

❀ ❀ ❀

"叶子！叶子！"我正在露台上晾衣服，楼下传来汤圆圆的声音。

我连忙向楼下看去，只见汤圆圆正站在我家楼下大喊。我连忙下楼。

汤圆圆摆了个可爱的姿势，然后说："圆圆热线为您解忧！"

"啊？"我没有明白她的意思。

"啊什么啊？我昨天都听见了，那个Flora不是邀请你去参加她和夏天的庆功宴吗？还不赶快去置办行头！为了帮你，我今天特意请了假呢！你可不能被那个食人花给比下去，你懂吗？"汤圆圆一副已经了然所有事情的样子。

说完，她拖着我就往门外走。

"圆圆，圆圆，你慢点……"我说。

汤圆圆却不肯放慢速度，她说："这可是女人间的战争，战争！你还不迅速一点的话，怎么可能赢呢？"

商厦里的服装首饰琳琅满目。汤圆圆拉着我，穿梭在各个柜台、店铺之中。我被五光十色的商品晃花了眼。

这里的衣服好贵啊！

我原来从来不敢来这里逛，最多只是偶尔看一看折价促销的柜台。我正在盘算着买哪一件打折的衣服合适，立刻就被恨铁不成钢的汤圆圆拖走了。

"拜托，你需要的是礼服，让人惊艳的高级礼服！"她说。

她把我拉到一家很气派的礼服专柜，马不停蹄地把她挑好的各种礼服扔给我，然后把我推进了试衣间。

汤圆圆跟我说："我的化妆技术虽然有点烂，但是挑衣服的品味绝对是一流的。我从前也是做过……"

“做过什么的？”我问她。

汤圆圆没有继续说下去，她把我推进了试衣间，催促我赶快试衣服。

我每次出来，旁边的营业员都一个劲儿地夸我，说我穿哪件都好看。但是汤圆圆完全不理她，她只是低头认真地检查每一件衣服的细节，然后比较着它们的优缺点。

我一次一次地走出试衣间，汤圆圆一件一件地审视，最后都是摇摇头。

渐渐地，我露出疲惫的表情，问汤圆圆：“这件还是不行吗？还要再试多少件啊？”

“直到找出最适合你的那一件礼服为止！”汤圆圆煞有介事地说。

我无奈了。只好再次走进试衣间，换上了一条小圆裙。

这次试穿的这条小圆裙有点华丽，和我之前的风格截然不同。但是汤圆圆说，我穿着这件礼服，显得非常年轻好看，有种让人眼前一亮的感觉。

汤圆圆终于满意了。她兴奋地说着：“好了，这才有点麻雀变凤凰的意思嘛！”

我看着化妆镜里的自己，仿佛看到了毛毛虫变成蝴蝶，丑小鸭变成白天鹅。我有点不敢相信，又很惊喜，心里还浮现出了一点小小的憧憬：“夏天看到这样的我，会觉得惊喜吗？”

这时，我拿起价签一看，立刻被高昂的价格吓得瞠目结舌。

这件小礼服居然要卖800多块钱。

我立刻向汤圆圆示意：“太贵了，还是不买这件了！”

汤圆圆当然不肯。

“一定要买下来，你钱不够我先借给你。”她斩钉截铁地说。

“不是钱的问题，而是，不值！”我为难地说。

汤圆圆严肃地看着我：“叶子，女人和女人的关系、尤其是情敌之间，就是一场又一场的战役，就算是要搏上身家性命，也不可以输，何况只是花一点钱！难道你不想要你的夏天了吗？你是想他被那朵食人花抢走吗？”

我犹豫了一会儿，看到镜子里那个焕然一新的自己，最终下定了决心。

于是，我坚定地点了点头。

我按照邀请卡上的地址，来到Flora开派对的地方，一幢远郊的花园别墅。

在汤圆圆的安排下，我化了妆，做了发型，戴着闪亮的耳环和项链，还第一次穿上了高跟鞋。当然，最重要的，我穿着那件华丽的小圆裙。

临出发前，我问汤圆圆，要不要告诉夏天。

汤圆圆这个狗头军师看了看我，说："拜托，当然要保密！你打扮得漂漂亮亮的进去，才能给他一个惊喜啊！才能让那些狗眼看人低的家伙明白，谁才是正宫娘娘！"

我站在花园别墅的门口，抬头确认了一下门牌，又揉了揉因为穿高跟鞋而酸痛的脚踝。

"要有信心，你是最美的！"我对自己说。

最后，我深呼吸了一下，这才拿出一百分的信心按下了门铃。

门打开了。

一个人探出头来，看到我之后，脸上的表情很惊讶，上下打量了我很久。

我连忙翻出包里的邀请卡，递了过去。

看到邀请卡以后，那人又抬头看了看我，这才侧身让我进去。他脸上的表情有一点微妙。

我没有理他，从容地走了进去。

进了大门，一个侍者问我："小姐，请问您要点什么吗？"

我故作镇定，按照汤圆圆事先教我的，对他说："一杯红酒，谢谢。"

侍者递了一杯红酒给我，我端着它，继续朝前走去。

侍者看我的表情也有一些奇怪，我仍然没有理会。

没走几步，我来到了一个很大的花园。花园里的人三三两两地聚在一起聊天。不知道为什么，大家看到我的时候，纷纷投来奇怪的目光，还有人在交头接耳，窃窃私语。

“这些人在干什么？为什么都看着我？”被这么多人盯着看，我终于有一点如芒在背。但是因为不习惯穿高跟鞋，我的两只脚只能很缓慢、很僵硬地移动着。

“今天不是休闲主题的派对吗？她怎么穿着晚礼服来了？”我听到一个女人在说。

“老土呗！以为party就一定是晚礼服，不知道这一套早过时了！”另一个女人刻薄地回答，还向我投来了鄙夷的眼神。

我的脸一下子红了，心里充满了无限的屈辱。

我终于明白，这就是Flora给我下的套——她想让我知道，穿上晚礼服的不一定是公主，也有可能是最可怜的小丑。

在议论纷纷的人群中，我拼命地忍住自己的眼泪。

“该怎么办？立刻离开吗？”我问自己。

我想了一下，决定找到夏天，对他说一声“恭喜”再离开。于是，我开始四处张望，寻找着夏天的身影。

“亲一个！亲一个！”

花园的中央是一个临时搭建的小型T台。那里聚了一堆人，隐约传来起哄吵闹的声音，显得很热闹。

“夏天是不是在T台上接受大家的恭喜呢？”我决定去看看。

我端着手里的红酒，小心地往人群的中间挤了进去。

“亲一个！亲一个……”起哄的声音仍然没有停止。

我终于挤到了人群的最里面，只见T台上站着两个人，一个是Flora，另一个正是我要找的夏天。

我正准备喊夏天的名字，却看见Flora伸手环住夏天的脖子，闭上眼睛朝夏天吻去。Flora吻得深情而投入，我甚至猜得出来，这场戏又是她刻意要演给我看的。

但是，我在意的是，夏天居然没有任何想要阻止他的表示。

我的心如刀绞一般剧烈地疼痛起来，最后竟然完全端不住手中的酒杯。身边看热闹的人群挤了我一下，酒杯便顺势从我的手中滑落，掉到了地上。酒杯的玻璃瞬间碎裂，溅起无数的碎渣。杯子里的红酒流淌在地上，像血一样鲜红……

也许会有碎渣刺伤我吧？我已经没有心力在乎这些了。现在，除了我的心，我身体的其他部位已经感觉不到丝毫的疼痛。

我踉跄着转身，想要尽快地逃离这里。

周围的人被我和地上的碎玻璃吓到了，都自动给我让开了一条路。我艰难地移动着，眼泪瞬间模糊了我的视线。

在我心里，有一朵花枯萎了。

华灯初上，大街上到处是熙熙攘攘的人群。

明亮的路灯下，我是一个穿着华服的小丑。我提着裙子的一角，一边流着眼泪，一边拼命地向前奔跑。欢乐的人群与我擦肩而过，不会有人在意我的眼泪。

“叶子！叶子！”远处传来夏天焦急的声音。

我没有回头。

因为一回头，我就会想起他和Flora的那个亲吻。一回头，我的眼泪就会忍不住掉下来。我不想输掉我的尊严。即使是小丑也有尊严的，不是吗？

“啊哟！”因为不习惯穿高跟鞋，我的脚扭了。我尖叫一声，脚踝的地方钻心地疼了一下。

我坐在地上，用力地脱下脚上的高跟鞋，眼泪不停地掉落。

小丑终究逃不开出丑的命运，灰姑娘注定会被打回原形。

这就是我的宿命吗？

这时候，一个人在我面前停了下来，递给我一张纸巾。

我哽咽着，低低地说：“谢谢……”

“叶子，怎么了？”原来是宝强哥。

他蹲了下来，想要看清我的脸。

我只是拼命摇头，没有说话。

宝强哥继续焦急地问：“发生了什么事？你不是应该在参加party吗？”

“宝强哥也知道party的事吗？一定是汤圆圆告诉他的。”我在心里想着，但是仍然没有说话，只是默默垂泪。

宝强哥却更加着急了，他握住我的肩膀，直直地看着我的眼睛。我却不敢看他，怕他看出点什么。

但是，他还是看到了我脸上的泪痕。宝强哥一把将我揽入怀中，心疼地说：“你不说就算了。有我在，没人能欺负你！”

宝强哥的怀抱里，有亲人的温暖。我一下子紧紧地抱住了他，呜呜地哭了起来。

这时候，夏天的声音从不远处传来：“叶子！”

听到夏天的声音，我的身体不由得一颤。我急忙止住自己哭泣的声音，眼泪却再一次滑落。但是我没有抬头，我不想他看到我流泪的样子。

宝强哥温柔地拍了拍我的背，没有让我离开他的怀抱。

夏天却走到离我更近的地方，又执拗地喊了一声：“叶子！”

尽管那个声音就在离我不远的地方，我仍然没有抬头。

宝强哥抬起头，很强硬地对夏天说道：“你没看到吗？叶子现在不想见到你。”

“这是我跟叶子之间的事情，你不要插手。”夏天回答。

宝强哥也不让步：“现在是叶子需要我的保护！”

夏天急了，他冲着我大声喊：“叶子，你说话啊？给我一分钟解释，好不好？”

宝强哥低头看看我，我还在无声地流泪。他愤怒地说：“你让叶子伤心成这样，我不能不管！没认识你之前，叶子一直都是开朗自信的，可是现在呢？你都给她带来了什么？！”

听到这句话，夏天大概是愣住了，很久没有说话。我用余光看到，夏天默默地看着我，看了很久。

他的眼神让我心疼。

眼泪又一次滴落，滴到宝强哥的手臂上。

宝强哥冷冷地催促夏天：“你快走吧，你继续留在这里，只会让叶子更伤心。”

夏天抱歉地望着我，一步一步地后退。终于他转过身去，离开了。我这才向他离开的方向看了一眼，他的身影显得那么落寞，那么忧伤。

一阵风吹了过来，竟然带有一丝凉意。

夏天就这样结束了吗？

前几天还生机勃勃的茉莉花盆栽，现在却无精打采地耷拉着，就像它的主人一样。

我用指尖触摸着半蔫状的小嫩芽，脸上写满了落寞。

“连你也要枯萎了吗？我还等着你抽出新枝呢。来，给你换个地方吧。”我搬着花盆，来到阳台上。

“它一定可以重新焕发生机，我也可以。”我给自己鼓劲。

我又打开了“荒野少女恨”微博，博主刚更新了一篇新文章。

照片上是水天相接的湖面。博主写到：“青海湖，蒙语是库库诺尔，意为‘青色的海’。其实那天到的时候是阴天，而且风很大，七月的天气我穿着外套站在湖边冻得牙齿打颤。没想到离开的时候回头看，乌云被风吹散，露出正好的天空。湖泊明净得好像海洋留给陆地的眼泪……”

“湖泊明净得好像海洋留给陆地的眼泪……”这句话真的好美，美得让人感伤。

我正想给博主留评论，却看到博主自己留的一句话：“那是我第一次看见你的眼泪，如何让你心中的那朵乌云散去，重现那片蔚蓝的天空……”

我的目光久久地停留在这行字上，忽然又有想哭的冲动。

我心中的乌云还能够散去吗？

镜头理论：
光的背后就是黑暗，
强光下的女人总有眼泪。

“叶子，你在哪儿？”妈妈给我打来了电话，劈头就问我。

“妈？是你呀。我在上班呢。”我说。

妈妈忽然可怜兮兮地说：“你能回来一趟吗？我在你租的房子门口。”

“啊？你不是应该在家里筹备自己婚礼吗？”我惊讶地问。前几天，妈妈刚刚回了老家，怎么又回来了呢？

妈妈听我提到“婚礼”，声音忽然变得凄然：“婚礼？没有婚礼了。那个混蛋男人骗了我的钱，又跑了……”

虽然我早就已经习惯这样的结局，但是妈妈却禁不住一次又一次相同的打击。她就像是飞蛾一样，每一次都奋不顾身地扑向火焰，但是每一次都被烧得遍体鳞伤。

“男人都不是好东西！我再也不相信什么狗屁爱情了！”妈妈绝望地大喊着。

这句话触动了我的心事，我想起了夏天。他用一个吻开启了我对爱情的憧憬，却立刻又用另一个吻让这一切都迅速地幻灭。为什么要这么残忍地对待我？

但是我已经来不及伤心了，现在最重要的是安抚妈妈。她现在的状态很不好。我决定向店长请一天假，我要好好地陪陪妈妈。

我还没有开口，站在我旁边店长已经先开口问我：“你妈妈怎么了？”

“她，她又被自己的未婚夫骗了……”我简直不想说实话。

“唉——”，店长忽然长长地叹了一口气，激动地说，“我早就跟她说过，那个男人不靠谱！”

我用迷惑的眼神看着店长。

店长问我：“你妈妈现在在哪？”

“在我租的房子门口等着我，我想请一天假……”我立刻趁机说出想要请假的事情。

店长却说：“让我去劝劝你妈妈，可以吗？”

“您去？”我看着店长，觉得有一点奇怪。他去劝妈妈……

店长似乎意识到自己必须跟我解释一下，他忽然变得羞涩起来：“你妈妈上次来的时候，我跟你妈妈聊过。她说自己总是被男人骗，觉得自己笨。但是我知道，你妈妈其实是个相当好的女人。因为我也总是被女人骗。我们这样的人，就是太善良，又太相信爱情了。”

“嗯。”我点点头。

店长又接着说：“后来，我和你妈妈会经常打打电话，聊聊心事。我也提醒过她，那个男人不靠谱，但她就是不相信。现在她结婚的事情黄了也好，我就可以……”

店长吞吞吐吐了很久，终于鼓足勇气跟我说：“叶子，我想追你妈妈，可不可以？”他看着我，眼神很真诚。

原来是这样，我这才明白过来。店长应该已经私底下关心妈妈很久了。怪不得听到妈妈有事，他比我还着急。

我连忙点点头，跟店长说：“我留在店里，你去找我妈妈吧。”

店长兴高采烈地冲出了门外。但其实我心里却在担忧，经过了这次伤害，妈妈的心还会那么容易被焐热吗？如果她选择将自己彻底地冷冻，那店长怎么办？

✤ ✤ ✤

“叶子，你拍的广告在杂志上登出来了！”店长刚刚走不久，宝强哥就拿着一本杂志兴奋地跑到店里来。

宝强哥手里拿的是最新一期的《娱乐周刊》。

他已经事先翻到了可俐儿广告的那一页，开心地拿给我看：“看！你的广告占了好几页呢！”

我淡淡地说：“这怎么能算我的广告呢？我只不过是一个不起眼的小配角而已。”

宝强哥让我看的那个广告，是我和Flora分别站在阿伟的两边，阿伟的眼睛深情地注视着Flora，完全没有看我。一瞬间，我产生了一种幻觉，阿伟变成了夏天，他的眼睛望着美丽高贵的Flora，充满脉脉的深情。我轻轻叹了口气，在心里说：“也许这就是现实吧？夏天最后也会选Flora的。”

“谁说你是配角的？汤圆圆，快看，快看，我们叶子超有范的！”宝强哥大声地招呼着汤圆圆。

汤圆圆本来在后面整理货物，听到宝强哥的招呼，连忙在第一时间围了过来。她尖叫：“叶子，真没想到你这么上相，这么亮眼！一点也不输给那个Flora！”

宝强哥连连点头：“嗯，嗯。叶子在这个广告里显得又清纯又可爱，真是一点也不比那个Flora差呢！”

我勉强地挤出笑容，算是回应他们的夸奖。但是我知道，宝强哥和汤圆圆只是看到我心情不好，才说这样的话来安慰我。

我看着广告上女王一般的Flora说：“哪里有你们说得那么好？ Flora才是真的美。”

汤圆圆听出了我话里的不自信，她皱了皱眉头，生气地对我喊道：“你不要光看Flora，你过来看看广告上的自己！我们讲的都是实话，你在这广告里上真的很美！你为什么对自己这么没有自信呢？”

听了汤圆圆的话，我的目光转向Flora身边的自己，想起了拍摄当天的情景。那天，夏天看着我的妆容，一脸的不满。他还在所有人面前对我大吼：“不要像个木偶……”

我怎么做，都不如他的Flora。想到这些，我变得更加灰心。我自暴自弃地对汤圆圆说：“我哪里很美？我的表情像个木偶……”

“叶子！”汤圆圆气得说不出话来。

宝强哥在旁边心疼地看了我一眼，温柔地说：“叶子，不管怎么样，在我眼里，你永远是最美的！”

我感动地望向宝强哥……

这时候，几个高中生模样的小女孩走了进来。其中的一个小女孩端着一杯咖啡，看着我问：“你是叶子吗？”

汤圆圆见状，一下子跳了出来：“她是，她是！叶子你看，你还说你不够美，都有粉丝找上门了！”说完，汤圆圆冲我俏皮地眨眨眼。

“哗——”她的话音刚落，小女孩将手上的咖啡泼到了我的脸上。

湿湿黏黏的咖啡浇在我的脸上，一阵燥热。一种屈辱的感觉霎时间笼罩在我的心头。我惊愕地看着这几个不速之客，不知道发生了什么事情。

“你干什么！”宝强哥一下子走上前来，把我护在身后。汤圆圆也围在我身边，不让那群小女孩接近我。

泼咖啡的那个小女孩冷笑了一声：“我们是Flora的粉丝。今天我们是特地来警告这个第三者的，别想从Flora身边夺走夏天！”

“什么第三者？你们胡说什么？”汤圆圆大声地训斥着她们。

那个小女孩指着汤圆圆手里的《娱乐周刊》说：“你们不是看到报道了吗？还装什么蒜？”

汤圆圆一脸茫然，不知道是怎么回事。我看到宝强哥的脸莫名地抽搐了一下。

“难道宝强哥已经知道是怎么回事了吗？他为什么要瞒着我们？”我默默地想。

这时候，宝强哥拿出了强硬的姿态，对那群小女孩说：“你们不能在店里胡闹，快走！不然我就报警，让警察把你们带走！”

“我们走吧。差不多了。”立刻有两个小女孩被吓住了，开始劝自己的同伴收手。

几个小女孩终于走了。

她们走到门口的时候，泼咖啡的那个小女孩恶狠狠地说：“你这个不要脸的第三者，赶快离开夏天！不然我还会来找你麻烦的！”

等她们走远，宝强哥连忙给我拿来毛巾，替我把脸上的咖啡渍擦干净。汤圆圆则迫不及待地翻开了《娱乐周刊》，却什么特别的报道也没有发现。

“难道就是为了这几幅广告照片？那她们为什么说叶子是第三者呢？”汤圆圆疑惑地说。

我看着宝强哥，忽然问他：“宝强哥，这本杂志怎么没有封面？”

听我这么问，汤圆圆也看向宝强哥。宝强哥沉默着不敢看我们，过了一会儿才从自己随身的包里拿出几页纸。

“没办法，只有这本杂志上有你的广告。但是我又不想让你看到那些乱七八糟的报道，就把它们撕下来了。”他小声地说。我从来没有见过他这样小心和忐忑。

我抢过他手里的纸，汤圆圆也围了过来。原来，这期《娱乐周刊》的封面文章是《名模Flora和著名摄影师男友惨被第三者插足》。文章里绘声绘色地说：“这位叶子小姐，真是手段不凡。本来是一个便利店的小小店员，却火速施展技巧，勾搭上了知名摄影师夏天。随后，立即获得在可俐儿广告中出镜的机会……”

我忽然想到，经常来问一些莫名奇妙问题的那个记者，好像就是《娱乐周刊》的。我们不过是萍水相逢，他为什么要这样污蔑我？

“胡说！简直是胡说！叶子，别看这种烂报道，我们可以给你作证，帮你辟谣！我们还可以告他们，他们这是诽谤！”汤圆圆激动地骂道。

宝强哥也柔声对我说：“对，叶子，别理他们。”

我没有立刻落泪，尽管我觉得很屈辱，也很有想哭的冲动。但是，和夏天在一起的短短几天，我已经在他那个莫名仇视我的圈子外面，练就了一颗强大的心脏。

“叶子，要不然你先找个地方避一避吧？”汤圆圆对我说，“看这个架势，一会儿找上门来的人应该会很多。”

宝强哥也说：“对，叶子，你跟我走。我带你去一个地方避避。”

我听话地点点头。刚才那个泼咖啡的小女孩太恐怖了，如果再多来几个这样的人，我一定会疯的。

在这样的时刻，我想起了夏天。夏天，你在哪里？你一定也看到了这篇伤害我的报道吧？我需要你，我现在最需要的人就是你，你为什么不出现？

宝强哥见我答应了，连忙拉起我的手，朝门外走去。他用力地握着我的手，好像怕把我弄丢似的。我从前并没有留意，原来他的手掌也很大，和夏天的手掌一样大。被他保护着，我觉得很安全。

❀ ❀ ❀

宝强哥的车停在吴中路附近的一家星巴克门口。他让我下车，然后拖着我的手就要进去。

我连忙说：“宝强哥，不要。这里太贵了！”

宝强哥笑笑：“没关系，这点钱我还付得起。我都想好了，这家店比较僻静，不容易被人发现。里面的人又都是精英人士，应该不会给八卦杂志通风报信的。”

他说得好像有道理，我只好乖乖地走跟着他走了进去。

宝强哥走到柜台旁边，对服务员说："给我来一个中杯的焦糖玛奇朵。"他说话的时候，没有一点犹豫，好像经常来星巴克的样子。

"好的。"服务员回答。

宝强哥又问我："你要喝什么，叶子？"

我茫然地望着他。我只在网上听说，城市里的小资都很喜欢星巴克，但是我从来没有来过这里。这个地方就像是有一堵隐形的墙，把我隔在外面，让我害怕进来。

宝强哥见我这个样子，假装听到了我的回答，说："还是老样子？来个小杯的摩卡星冰乐？"

我只好点头。

"好的。请在这边稍等。"服务员又回答了一句。

宝强哥和我端着两杯咖啡，坐在一个靠角落的位置。宝强哥温柔地把他替我点的那杯摩卡星冰乐推到我旁边，说："喝吧，夏天喝这个凉快。"

"好。"我忽然想到了一个问题，"宝强哥，你今天不用上班吗？"

宝强哥摆了摆手，说："没事，我已经请了一个星期假。"

"请那么久？你们经理能同意吗？"我担心地问。

宝强哥又乐了："当然同意啦，因为我说我要回家娶媳妇，哈哈。"

听到宝强哥这么说，我的脸一下子红了，不知道该说什么才好。

宝强哥看我不自在，连忙解释："我是跟他瞎说的，你别在意啊。你有事，我当然要管了！"

"谢谢你，宝强哥。"我感激地对他说。

"你再尝尝我这杯，焦糖玛奇朵。甜的，你们女孩子应该喜欢喝吧？"宝强哥温柔地看着我，对我说。

我喝了一口，果然味道不错。于是我问："你经常来这里吗？怎么对这里这么熟？"

宝强哥挠了挠头，憨厚地笑着说："其实，我也是第一次来。"

“那你怎么对这里这么熟呢？”我很奇怪。

“你们女孩不都喜欢情调呀，小资呀，什么的吗？我就上网查了查这个星巴克，又找我们经理咨询了一下，就了解一些情况。”宝强哥不好意思地说。

停了一会儿，宝强哥的眼神变得有一点忧伤：“以前就是因为我太土，你才会爱上那个摄影师的，对不对？现在我学了很多高雅的玩意儿，我还能把你争取回来吗？”

“宝强哥……”原来，宝强哥这么用心，都是因为我，我不知道该说什么好了。

“叶子，你还记得我们小时候在家吗？”宝强哥又跟我聊起了小时候的事情，“上高中的时候，你在我们隔壁班。每天上课，我都能看到你，扎着两个小辫子，一蹦一跳地从我们班的窗户边经过。为了能看见你，我每天都到得很早。因为每次看到你的时候，我就觉得特别开心。”

家乡，小时候，与这些关键词有关的记忆如此遥远。我们的家乡，在距离这个城市几千公里的一个小山村。那里虽然不像大城市那样到处是高楼，却有很漂亮的山，很清的水，还有很舒服的空气。在我很小的时候，我总以为，自己会嫁给一个种田的男人，然后生一堆孩子，一生一世地生活在这个美丽的村子里。直到我长大了，送弟弟到北京上学，才忽然发现，原来外面的世界这么大，这么精彩。

宝强哥又亲昵地看着我说：“后来，我来到这个城市，我以为自己这辈子再也见不到你了。但是，三年以后，你忽然也来了这座城市。我这才发现，跟小时候一样，我还是为你而来的。为了不错过你，为了能照顾你，我又比你早到了一点点。”

这些话，宝强哥从来没有跟我说过。我一直以为，他的心里只有努力、奋斗、赚钱，还有娶老婆、生孩子。原来，他对我也有这样深沉、浪漫的感情，只是作为一个含蓄的山里男人，他从来没有对我说过。

这样的感情虽然不够热烈，但却似乎更加恒久。

我忽然又想起了夏天。这些天来，我一直都在想，我和夏天之间的问题是什么？现在，我终于明白，我和夏天的感情进行得太快了，快得让我觉得有一些不真实。从认识到在一起，我们只用了十几天的时间。我不了解他的世界，而他也不知道我的世界。

这样的爱情会长久吗？我不知道。

这时候，汤圆圆给我打来了电话：“叶子，我跟那群记者说，你回老家去了，十几天才能回来。那帮记者相信了，现在已经走了，你放心吧！”

挂了电话，我立刻说：“宝强哥，我们回去吧。”

“不行，叶子！汤圆圆只是想让你放心，不是让你回去。就算记者不来了，但是那篇报道里写了你们店的地址，肯定还会有粉丝来找你麻烦的！”宝强哥阻拦我，“你不能再在那里干下去了。等过了这几天，我给再找别的工作。或者，你跟我回老家，我们开个小店，好好过日子。叶子，你说好吗？”

我看着宝强哥：“将来的事将来再说，但是现在我必须回去。刚才我光顾了自己，把圆圆一个人留在那里。万一再来一个疯狂粉丝，她多危险啊！”

“叶子，你总是那么善良。”宝强哥心疼又无奈地说，“好吧，我陪你回去。”

我跟宝强哥一起回到了店里，看上去一切平静。

“圆圆，你没事吧？那些记者没有为难你吧？”我一看到汤圆圆，就拉着她问。

汤圆圆轻松地说：“没事，这些小记者，还不是小case？我看，短期内不会有记者来骚扰你了。”

汤圆圆的话音刚落，忽然冒出来一大堆的记者围住我们。

“叶子小姐，能谈一谈你和夏天先生究竟是什么关系吗？”

“有人说你是第三者，你怎么看？”

“……”

我还没有反应过来是怎么回事，记者们已经提了一堆的问题。

“让开！你们让开！”宝强哥愤怒地大喊，拼命地保护着我。但是来的记者起码有几十个，里三层外三层的，把我们围在了当中，根本没办法出去。

宝强哥又大喊了一句：“你们再这样，我报警了！”

那帮记者还是不愿意放走我们。

“这位先生，你是叶子小姐的什么人？她不是和夏天先生在一起了吗？”

“难道是四角恋？”

一些记者看到宝强哥，又开始提出一系列的新问题。我不得不佩服记者的想象力，再这样下去，不知道他们又会编出什么样的荒唐故事来。

“怎么办？”我看着宝强哥，焦急万分，却又无计可施。

“各位记者，我想还是由我来回答你们的问题吧！”是Flora。

她来干什么？

显然，还是Flora的魅力要比我大得多，所有围着我和宝强哥的记者一下子都不见了，他们全都围到了Flora的身边。

“我们快走吧！”宝强哥低声催促我。

我站在原地没有动：“不，我要听听这个Flora这次又准备了些什么话来诬陷我！”

宝强哥见我这么固执，便说：“那，好吧。我陪你。”

Flora站在记者中间，优雅美丽，一如既往。

“Flora，据说那位叶子小姐是插足你和夏天的第三者，这是真的吗？”一个记者迫不及待地问。我竖起耳朵，等待着Flora的答案。我的生活已经被搅得天翻地覆了，我已经不在乎再被她多踩一脚。

Flora用好听的声音说出了我意想不到的答案：“我和夏天先生早就分手了。我现在的男友是C.I.的总裁Steven。至于夏天先生和叶子小姐什么时候认识的，我必须郑重地说，肯定是在我和夏天先生分手之后。”

我惊讶地看着Flora，不明白她为什么忽然像是变了一个人，更不明白她为什么不乘机对我落井下石。偷拍，爆料，这一切难道不都是她一手安排好的吗？现在她明明有机会把我打入十八层地狱，为什么忽然收手了呢？

我死死地盯着她，想要看出其中的端倪。她也看了我一眼。奇怪的是，她从前眼神里对我的那一份浓浓的敌意，竟然不见了。

记者中又有人提出了问题：“这么说，《娱乐周刊》那篇报道是虚假报道了？”

Flora笑笑，自若地回答：“不能这么说。只不过，那位记者可能没有弄清楚故事的时间顺序。”

Flora向记者澄清以后，整件事情就失去了新闻性。原来围着我的记者再也不多看我一眼，瞬间消失得无影无踪。我的世界清静了，我又变成了平凡女孩叶子。所有的变故，来得突然，去得也突然。一天之间，我的身份变来变去，而这一切却都不由我决定，这就是平凡人的悲哀吧！

“既然没事了，我想我可以继续上班了。”我对宝强哥说，“谢谢你，宝强哥。你去忙吧！”

“那好吧。”宝强哥看到记者都走了，也觉得应该不会再有危险，就答应了。

宝强哥走了以后，我还是有点迷惑，自言自语地说：“Flora明明处心积虑地想要害我，为什么最后关头又要出面帮我解围呢？”

汤圆圆看着我，忽然有一些激动地说：“时尚圈的这些人居心叵测，Flora还不一定在搞什么鬼呢！”

“你看出什么问题了吗？”我惊讶地看着汤圆圆。

汤圆圆的眼神恨恨的，她说："目前还没有。我只知道，时尚圈等级森严，她们永远也不会允许一只丑小鸭变成白天鹅的。叶子，你还是远离夏天，远离那个圈子吧。"

我看着汤圆圆，不知道她为什么忽然说出这样的话来。汤圆圆也看了看我，最后才流着泪说出了藏在心底深处的秘密。

"叶子，你还记得吗？Flora说她好像之前见过我？"汤圆圆问我。

"记得。"Flora来店里拍广告的时候的确这样说过。

汤圆圆一边流泪，一边保持着平静的语调："她当然见过我，因为我从前也是个模特，当年还曾经和她一起被评为'年度最有潜质新人'。"

"啊？"我觉得很意外。

"我当年很被模特圈看好。后来，我遇到了一个男人。我疯狂地爱上了他，并且开始主动追求他。如果他是一个普通男人也就罢了，可惜他是个富豪。所有的人都以为我是爱上了他的钱，没有人相信是因为爱情。现在想想，自己当时太年轻，太天真了！"汤圆圆说着自己当年的故事，她虽然落泪，但脸上的表情却平静得仿佛在说别人的事情一样。

"那后来呢？"我问。

"后来？"汤圆圆说，"后来我们倒是有过一段美好时光。直到有一天，一位名模忽然找上门来，让我不要招惹她的男人，还甩给我一堆他们的亲密照片。我质问那个男人，没想到他大方地承认了，还说和我只是玩玩。"

我疼惜地对汤圆圆说："就算是这样，你也不用离开时尚圈呀？如果你还在，也许你可以和今天的Flora一样。"

汤圆圆苦涩地摇摇头："我当时根本没法再待下去，那个名模动用一切资源封杀我，还到处跟别人说我是第三者。时尚圈的人就是这么赶尽杀绝。所以，我不相信那个Flora会放弃整你，除非你和夏天就此分手，再也没有任何瓜葛。"

我的头顿时嗡了一下，不解地问："圆圆，你既然知道时尚圈的水这么深，为什么当初还要支持我和夏天在一起？”

“因为我本来以为，你和夏天会不一样。我也没想到会是这样。原来这个世界上真的没有童话。就算有，也不过是拿来骗小孩的。叶子，与其被甩，还不如主动潇洒离开，这样起码可以保住自己的尊严。”汤圆圆说。

我一下子抱住了她，眼泪夺眶而出：“跟你没关系，你已经尽了最大的努力帮我。我会听你的话，放弃夏天，回到属于我自己的世界。”

❀ ❀ ❀

这时候有客人进来，我连忙回到收银台打单，汤圆圆也到后面库房继续收拾去了。

“叶子！”随着一声门铃声响起，一个熟悉的声音叫着我的名字。

是夏天。

我没有理他。

夏天见我不说话，就对正在买单的客人说：“对不起，您能到旁边两分钟好吗？我和她有话要说。”

“对不起，现在是上班时间。请你不要骚扰本店的顾客。”我的语气很礼貌，却又带着故意的冷淡。

夏天气急败坏地走开了。

正在付钱的客人很奇怪地看着我，他指着夏天问：“你男朋友？你们闹别扭啦？”

“你显然不关心娱乐八卦嘛，这个城市里还有谁会不知道我和夏天的事情呢？”我在心里冷笑。

不过，我没有回答那位客人的提问，而是从收款机里拿出找零，递给了他。然后说了一声：“欢迎下次光临，请慢走！”

这时候，夏天拿着一堆东西走了过来：“我买东西，现在你可以听我说话了吧？”

“可以，但是我不会跟顾客闲聊。”我依然很冷淡。

夏天把他从货架随手拿的东西一下子都放在收银台前，说：“没关系，你听就行。你那天看到Flora亲我，不过是大家起哄闹着玩的！”

我低头扫描商品的条码，没有理他。

“我跟你说过的。当时，我和她必须维持表面上的情侣关系。不过现在，她也已经告诉记者我和她已经分手了。”他继续说。

我的眼睛一会儿盯着桌上的商品，一会儿看着电脑的屏幕，就是不看他。

他急了：“你听到我说话没有？你打算就这样不理我了吗？我可是你的男朋友啊！”

“一百八十六块六毛。”这时候，夏天买的东西都扫描完了。我说，“那我们现在就分手吧，你不是我男朋友，我就不用再理你了。”

“你说什么？”夏天不敢相信地看着我，连钱包都忘记掏。

我一字一顿地说：“我们分手吧！现在！立刻！马上！”

“是为了那篇新闻报道吗？那不是已经解决了吗？”夏天问。

我看着他，冷冷地说：“对，是解决了。但是我被Flora的粉丝羞辱的时候，你在哪里？我被记者围追堵截的时候，你又在哪里？现在事情解决了，你才出现，你希望我怎样？”

夏天几乎是用恳求的声音对我说：“我都可以解释，只要你听我说，好不好？”

“不，我现在在工作。”我还是坚持不给他辩解的机会。

夏天狠狠地瞪着我。看得出，他急得想发火，不过最后他还是忍住了。忽然，他死死地拉着我的手，说：“跟我走！”

“去哪里？我还没下班呢！”我试图挣脱他的手，但是失败了。

“店长，叶子想请一天假！”夏天大声地喊了一声。

“店长不在。”汤圆圆听到声音，从后面答应着走了出来。

“不，我不请假！”我急忙说。

“她要请假！”夏天又说。

汤圆圆走过来，小声地对我说：“叶子，你就跟夏天出去好好谈谈吧。记住我跟你说过的话，说清楚了也好。”

“可是……”我想对汤圆圆说，如果我和夏天多待一会儿，我也许会舍不得离开。

“有什么好可是的，谢谢你啊圆圆！”夏天显然没听到圆圆说的话，他向汤圆圆鞠了一躬。然后，他一下子把我抱了起来，强硬地说：“跟我走！”

我大声地喊：“放我下来！”

但是他紧紧地把我抱在怀里，任凭我怎么捶他，他都不松手。

“我这辈子都不会放手的！”夏天深情地说，然后把我塞进了他的奔驰车里，“跟我去个地方！”

在他深情的眼神里，我忽然失去了挣扎的力气。原来，我还是舍不得结束这个美丽的夏天。

☘ ☘ ☘

“叶子，你还记得这是哪里吗？”停下车，夏天指着远处对我说。

我当然知道这是哪里。

这里，是我和夏天第一次接吻的海滩。

夏天忽然跑回车里，拿出了一张大大的照片：“叶子你看！虽然那个狗仔很混蛋，可是却帮我们记录下了最重要的时刻。”

他拿着照片，深情地回忆着那天晚上的情景：“当时我们都喝醉了，就跑到海滩上散步。你被一个贝壳绊倒了，跌进我怀里。我情不自禁地吻了你，你也回吻了我，然后，烟花在天空绽放。一切就像是上帝安排的一样……”

我听着他的讲述，看着他手里的照片，哽咽地说：“你……都记得？”

夏天看着我的眼睛，认真地说：“我记得，我们在一起的每一个细节，我全都记得。自从我认识你，你的勇敢，你的善良，你的可爱，都让我印象深刻。我本来以为你只是很特别，直到我情不自禁地吻了你，我才发现自己彻底地爱上了你。”

夏天又说：“叶子，你还记得吗？上帝说过，他会赐福给看不见却选择相信的人。”

忽然，夏天很绅士地退后一步，单膝跪下，拉着我的手，问我：“叶子小姐，你愿意再相信一次爱情吗？再给我一次机会吧吗？”

我看着夏天，眼睛完完全全地湿润了。

这时候，傍晚的阳光洒在蓝色的海面上，泛起金色的粼光，整个海滩美得恍如梦境。海滩上还没有多少人，四周只有海水冲刷沙子的声音。这样的画面，这样的夏天，我没有理由辜负的，对吗？

正在我即将回心转意的最后时刻，我的脑海里又重新闪现了许多的事情：那些让人失落的画面，还有妈妈说的话，汤圆圆对我说的话，Flora对我说的话……

“男人都不是好东西！我再也不相信什么狗屁爱情了！”

妈妈已经相信过那么多男人，但是却总是被伤害。也许这个世界上真的没有什么爱情吧？

“原来这个世界上真的没有童话。就算有，也不过是拿来骗小孩的。”

“叶子，与其被甩，还不如主动潇洒地离开，这样起码可以保住自己的尊严。”

汤圆圆是对的。我已经相信过，尝试过，可是结果我还是失败了。我和夏天之间的距离没有变得接近，反而越来越远。我不懂他的世界，他也不懂我的。

我又想起Flora对我说的那句话：“不是说，叶子始终是给花作陪衬的吗？你永远是我的陪衬。”那句话有如妖魅一般，久久地缠绕在我心头。

还有那群工作人员。他们看着夏天和Flora说：“果然是金童玉女！”

夏天本来就是属于花的季节。渺小的叶子再怎么努力，夏天还是会离开。

我看着夏天，眼神有一些绝望：“可是有一些事情，我永远都没有办法忘掉。”

“任何事情，我都愿意给你一个解释。请相信我，叶子！”夏天温柔地仰视着我。他仍然跪在地上没有起来，像是下定决心要等到我的答案。

“你和Flora模示范亲密动作，你有没有想过我的感受？”我问。

“这只是很普通的示范，叶子，我并不知道……”

我打断了他：“在你们看来也许普通，但是你有没有想过我的感受？”

夏天沉默了。

我继续伤心地说：“你根本没有想过。还有，你的世界总是对我充满敌意。你的同事Thomas看不起我，故意撞倒我手中的水。明明有很多人看见了，但是没有一个人替我说话，除了汤圆圆。”

夏天抱歉地说：“叶子，对不起。”

我越说越委屈：“拍那支广告的时候，我拼劲全力地表演，却依然没有人为我喝彩。在他们的眼里只有一个明星，那就是Flora。而我，就像Flora说的，只是她的陪衬！”

“但是我并没有这样认为，你在我眼里是最棒的！”夏天激动地说。

“那为什么我第一次化完妆出来，你的脸上一副嫌弃的表情？”我也很激动。

“那是因为我觉得……”

“你不用再解释了，我不想听。还有，你为什么不告诉我庆功party的事？

你如果告诉我，我就不会穿着晚礼服到那里。你永远不会知道那种感觉有多难受。我穿着昂贵的礼服，却仍然像个小丑一样被嘲笑……”我继续说着。

“叶子，你听我解释好吗？”夏天打断了我。

我却坚持要继续说下去：“你听我说完！最让我觉得屈辱的，是你接受了Flora的亲吻。所有人都在祝福你们，根本没有人注意到我的存在！”说完这句，我几乎已经泣不成声。

但是我知道，即使哽咽着，我也要说完最后一段话：“夏天，你知道吗？我曾经以为，虽然我和你的世界有那么多不同，但只要我勇敢面对，用力去爱，什么都可以改变……可是……我太自不量力了……

“其实我什么都改变不了……你有你的世界，我也有我的世界……谢谢你曾经给过我这样一个美好的……夏天，对不起，我真的，真的努力过了……但是你的世界不欢迎我，也不需要我的存在……我们的世界完全没有交集……我们……分手吧……”

听完我说的这段话，刚才还急着要解释的夏天一下子安静下来，他只是用一种很绝望的眼神看着我。

我挣脱了夏天的手，用最快的速度离开了他的身边。

这个夏天已经结束了。所有曾经的绿色，都是属于叶子的幻觉。夏天一旦离开，一切都会枯萎，凋零，最后散落在风中。

我失去了关于夏天的一切，只留下可怜的尊严。

再见了，夏天！

婚纱传说：

婚纱是每个女孩的梦想，
但婚纱旁边未必有她最喜欢的人陪伴。

“这些货品好像放得不对吧？”店长说。

我这才回过神来。

上午理货的时候，我有一点恍惚。每走过一个货架，我就会想起与夏天有关的片段。也许是因为，夏天在这家便利店里留下了太多的回忆。

经过饮料的货架，我仿佛看到他拿了一罐可乐。

整理乳制品货架的时候，我仿佛看到他拿了一瓶草莓牛奶。

看到口香糖，我就很自然地想起他喜欢的牌子……

明明已经分手了，我为什么还是对他念念不忘呢？也许只是惯性而已，我一定可以忘掉他。

店长说话的时候，我这才发现自己把不少物品放错了地方。店长知道我因为夏天的事情心情不好，并没有怪我，只是悄悄地跟我说：“你妈妈被人骗了那么多回，现在都没事了。你也要早点振作起来啊。”

说完，他又招呼着站在收银台的汤圆圆：“汤圆圆，来。我们一起把这边的货品重新整理一下。”

汤圆圆答应着：“来啦！”说着就从收银台蹦了过来。

我却觉得很内疚，想要努力弥补自己犯的错，对店长说：“我来吧，我来吧。”

于是，我重新拿起货物清单，站在货架前，仔细地把自己刚才放的物品检查了一遍。

☘ ☘ ☘

“叮咚”，伴随着门铃响起来的声音，张爷爷走进了便利店。

“张爷爷！您好久没来了。”我跑到收银台，从下面拿出一叠《参考消息》递了过去，“这是您落下的那几期，我都替您收着呢！张奶奶身体是不是好点了？”

听我提起张奶奶，张爷爷痛苦地摇了摇头，说道：“她……她……已经走了……”

“什么？！”我以为自己听错了，不敢相信这是真的，整个人呆住了。我的眼泪唰地流了下来，失声地喊道：“张奶奶……”

“傻孩子，别难过了……”张爷爷心疼地看着我，“其实，她走的时候很平静，没受多大苦。”

汤圆圆的眼圈也红了，她伤心地说：“可是，那么美满的感情，奶奶就这样走了……人生为什么总是充满遗憾？”

“傻孩子，人生哪有美满的感情啊？想当年，她家里反对我们，几年后她不得已嫁给了别人，我也有了新家……唉……直到10年前我们才重新在一起……”张爷爷平静地说着他和张奶奶的故事，我和汤圆圆听到他说的话却震惊了。

汤圆圆无法相信地说：“啊？”

张爷爷微笑着：“可是，孩子们，这最后10年，是我们最快乐的10年。因为我们拥有彼此啊。有的时候，珍惜当下的美好时光，好好地相处，就是最大的幸福……就不会有遗憾……”

这时候，张爷爷从口袋里掏出一方包得很仔细的手帕，层层展开。手帕里，是一对有点旧的书签。这是一对铁制的书签，用薄薄的铁片做成了四叶草的图案。

“这不是四叶草吗？传说中的幸运草。”汤圆圆说。

张爷爷有点不好意思地说：“叶子，你张奶奶一直都在念叨，一定要好好谢谢你和夏天。你看，家里也没什么好东西。这对书签，是当年我按酢浆草的样子做的，是我给你张奶奶的定情信物。我想就把这对书签送给你和夏天吧……”

我连忙说：“张爷爷，我……不能收……这是你们最美的回忆……”

张爷爷微笑着说：“傻孩子……最美好的回忆都已经藏在我心里了……再说，我还有你跟夏天给我们拍的那些照片呢……真好，好久没见她笑得那么开心过了……”

他郑重地把书签放在我的手里，对我说：“孩子，收下吧。我就不去找夏天了，书签你一定要带给他。”

“嗯。”我接过书签，点头答应。

张爷爷走了，我看着书签，不知道要不要去找夏天。

在一边的汤圆圆认真地对我说：“叶子，你去找夏天吧。你们不能辜负了张爷爷和张奶奶的祝福！”

“可是圆圆，我们已经分手了。”我犹豫着。

汤圆圆看着我：“叶子，我本来也以为，跟夏天分手，你就能解脱。可是你看你，自从和他分手以后，每天失魂落魄的，一点也不开心。”

“也许这只是暂时的，等我慢慢忘掉他就好了。”我小声地说。

汤圆圆问我：“真的是这样吗？”

我看着汤圆圆，说：“圆圆，你这是怎么了？你那天不是说，让我离开夏天，回到自己的生活吗？”

“刚才，你也听到张爷爷的话了。我们曾经以为，张爷爷和张奶奶很轻易地就拥有了幸福的爱情，但其实他们也经历过很多的困难和阻碍。

“这个世界上并没有美满的爱情。他们最后能够得到幸福，是因为他们一直都相信爱情。我是曾经被一个贱男人伤害过，你和夏天之间也的确有一些问题，但是那又怎么样呢？只要相信，就一定会有属于我们的爱情降临，不是吗？”汤圆圆激动地说。

也许汤圆圆是对的。我的眼神渐渐坚定，重重地点头：“嗯！”

☘ ☘ ☘

夏天的奔驰车停在楼下，他应该在家。

我拿着那对四叶草书签，觉得沉甸甸的。这对四叶草，真的会给我和夏天带来幸运吗？

走上熟悉的楼梯，我终于站在了夏天工作室的门前。看着手中攥着的那一对四叶草书签，我对自己说：“叶子，你一定要勇敢地相信爱情，就像张爷爷和张奶奶那样！”

这时候，门锁忽然动了，有人在开门。我连忙闪到一边，躲了起来。

“夏天，我出去和别人吃个饭！然后我再来接你去机场！”是Flora。

夏天陪着Flora走了出来，一边走一边说：“好。终于可以去大溪地了，我真的好开心！”

Flora笑了：“我也很开心。”

Flora踮起脚，吻了一下夏天的额头。我看到夏天微笑着，笑得好甜蜜。

夏天要去大溪地，和Flora。我那颗刚刚热起来的心又凉了下来。

他终于还是回到了Flora身边。我刚刚鼓起勇气，他却已经走了。如果这份爱情里，只剩我一个人在勇敢，那这不过是一场无谓的独角戏。我躲在角落里，苦涩地笑了。

Flora走了以后，夏天回到屋子里，重新关上了门。

有一种想哭的冲动，但还是忍住了。我轻轻地走过去，把四叶草书签放在了门口，并且在门上贴了一张留言条：“夏天，这是张爷爷送给你的礼物，四叶草代表幸运。他说谢谢你给他和张奶奶留下的美好留念。叶子”。

“夏天，再见！”我站在门前，对门里的人挥了挥手，可惜他永远不会知道了。

然后，我带着满脸的泪痕，失神地离开了。

我的爱情花朵彻底枯萎了。

❀ ❀ ❀

我站在便利店的收银台前，泪如雨下。

“叶子，我想跟你谈一谈。”Flora忽然出现。她走到收银台前，用听起来很诚恳的语气对我说。但是，我不相信她的来意是诚恳的。

“谈什么？”我冷冷地说，“如果你想炫耀自己的胜利的话，那大可不必了吧。”

Flora似乎愣了一下：“你说什么？无论如何你一定要跟我走一趟，好吗？”她的语气仍然很真诚，我原来的气势汹汹一下子就被消融了。

“就算是被羞辱又怎样？我已经输掉了夏天，还有什么好在乎的？”想到这里，我没有再说话，默默地跟着她上了她的车。

我们来到了一家婚纱店。

Flora去停车了，我站在门口的橱窗前面，心里像打翻了五味瓶，各种滋味涌上心头。这家店的婚纱好美，每一件都像是给童话里的公主穿的。她让我来这里干什么？帮她挑选她和夏天婚礼时穿的婚纱吗？

“请问，您是叶子小姐吗？”一个店员模样的人走出来问我。

“哦，是的。”我慌忙回答。

每次接近Flora和夏天的那个世界，我总是有一点慌乱。

店员小姐冲我礼貌地招呼：“您这边请，Flora小姐已经停好车，在楼上等您了。”

我跟在店员小姐后面，走到Flora面前。

Flora已经换掉了之前的衣服，穿着一件白色的婚纱站在一面镜子前面。那件婚纱很简单，但却有一种震撼人心的美。也只有她，才能穿出这样的感觉来吧。

Flora在镜子里看到我站在她身后，便问我："叶子，这是我婚礼的时候要穿的婚纱。这件婚纱好看吗？"

"好看。"我诚实地回答，心里却很苦涩。她和夏天果然要结婚了。

"夏天也这么说过。"Flora微笑着说。

我的心开始加速地下沉。

Flora忽然转过身来看着我，对我说："婚纱是每个女孩的梦想，但婚纱身边未必有她最喜欢的人陪伴。"

"你胡说什么。"我的身后突然想起了一个熟悉的声音。

是——宝强哥。

我惊讶地瞪大了眼睛："宝强哥，你怎么会来？"

宝强哥一把拉起我的手，说："叶子，我们走！别在这被她欺负！"

说着，他拉着我，大步地往门外走去。

Flora在我们的身后大声地喊："他就要走了，去大溪地。"

"我知道。"我没有回头。心想，你是想向我炫耀你们即将进行的甜蜜旅行吗？不必了，我已经知道了。

Flora又喊："叶子，我要结婚了！新郎是……"

"是夏天！我们知道了。你这个恶毒的女人，别想再羞辱叶子了。你再多说一个字，别怪我王宝强打女人！"宝强哥转身打断了Flora，恶狠狠地警告她。

Flora气得脸都绿了，再也说不出话来。

刚走出婚纱店，我就问宝强哥："宝强哥，你怎么会来？"

"我刚到你们店里，汤圆圆说她看见Flora把你带走了。我就开着车赶紧跟来看看。"宝强哥看着我，眼里有着无限的温柔。

这一次我没有逃开，而是给了他一个微笑。

谢谢你，宝强哥。

谢谢你总是在我最需要保护的时候出现。

宝强哥带着我，回到了便利店。

妈妈和店长忽然向我宣布，他们要结婚。

“阿姨，店长，恭喜你们！”宝强哥和汤圆圆一起说。

虽然突然，我却不觉得意外。按照店长的说法，他们应该是一类人，而且早就很聊得来。只不过，妈妈那时候还在爱着一个莫名其妙的男人。现在，他们终于有机会在一起了。只是，妈妈愿意再冒一次受伤的风险吗？

我问妈妈：“店长肯定是个好人，但是万一他不适合你，怎么办呢？”

妈妈笑了，她说：“你不是说，妈妈是个相信爱情的人吗？一个相信爱情的人，是不会因为害怕伤害，就轻易放弃喜欢的人的。”

妈妈这句话，好像是特意说给我听的。

真的是夏天的世界在排斥我吗？

也许，事实上是我推开了夏天。因为我不够自信，害怕伤害。

这时候，店长也说话了：“叶子，爱情不是只享受甜蜜，更要珍惜彼此磨合的过程。这个世界上哪有完全默契的两个人？所有的默契都是在磨合中产生的。你们女孩子总喜欢说，婚姻是寻找合适的鞋子。其实，最美的高跟鞋，开始穿的时候总是会有点磨脚，挺过去就好了。”

店长和妈妈都不想让我和夏天就这样结束，不希望我就这样放弃。可是，他们不知道，夏天已经离开了这座城市。和他一起离开的人，是Flora，而不是我。

如果这份爱情里，

只剩我一个人在勇敢，

那这不过是一场无谓的独角戏。

这个夏天已经结束了。
所有曾经的绿色，
都是属于叶子的幻觉。

夏天一旦离开，
一切都会枯萎，凋零，
最后散落在风中。

PART 8

夏天

恋上一片叶子的夏天。

瓢虫自白：
恋上叶子的瓢虫只能做益虫。

我想起庆功宴的那天晚上，王宝强对我说的话："没认识你之前，叶子一直都是开朗自信的，可是现在呢？你都给她带来了什么？！"本来，我还对这句话不以为然。

可是第二天《娱乐周刊》就登出了一条中伤叶子的新闻。看到新闻的第一时间，我就跑下楼预备去找叶子。在快要走到店门口的时候，透过便利店的玻璃窗，我看到一个小女孩把一杯咖啡泼到了叶子的脸上。

那一瞬间，我呆住了。我想冲过去保护叶子，可是我却不知道自己应不应该出现。

如果不是因为我，叶子根本就不会被置于谣言的中心，更不需要面对这样复杂的纷扰。这是我第一次发现，原来自己真的给叶子带来了很多的麻烦和伤害。

我站在便利店对面，眼睁睁地看着叶子，心里一直在疼。

也许，我应该先去解决问题。看到新闻的第一眼我就知道，整件事情肯定是Flora一手策划的。不知道从什么时候开始，Flora再也不是从前那个单纯美丽的小女孩。时尚圈教会她的东西，除了追逐名利，就是这样的工于心计。

我去找了Flora。

我对她说："放过叶子。"

她笑了，笑得像罂粟花一样鬼魅："她跟你有什么关系？如果有，我凭什么要放过她？"

"因为我爱她。我求你，放过她。"我直直地盯着Flora的眼睛。她再怎么变，还是在乎我的，这件事情我还是确定的。

她看着我，忽然凄然地说："夏天，为什么？你从来没有为我求过别人，她对你就那么重要吗？"

"对不起，Flora，我从前为你做的也许不够。但是叶子对于我来说，真的很重要。"说完，我下意识地笑了一下。每次提起叶子，我总是会不自觉地微笑。

"那我呢？我对你已经不重要了吗？"Flora的表情变得更加悲伤。

她的表情让我有一点心疼，我说："在我心里，你曾经是这个世界上最重要的人。不过现在，我原来最在乎的那个Flora不见了。但是，我还是愿意为现在的Flora保留一个位置，一个属于亲人的位置。"

Flora再一次笑了。这一次，她的笑容里带着眼泪："我本来以为是她抢走了我的东西，现在我才知道，是我自己把你弄丢了！"

我只好轻轻地抱抱Flora，但是不知道该说什么来安慰她。

她伏在我的肩膀上哭了很久，忽然直起身来，对我说："我去帮叶子向记者澄清。但是你要记住，我并没有安排狗仔偷拍你们，那真的是狗仔做的，虽然最后的新闻是我找人发的。这对你来说或许不重要，但是对我来说却很重要。"

"谢谢你，Flora。"我说。

Flora摇了摇头，对我说："不用谢我，我做的局，我当然应该去收场。只是你以后不要恨我，好吗？"

我说："我永远不会恨你。"

叶子一定在心里默默地恨我，当她一个人面对狗仔和粉丝的狂轰滥炸时，我却不能立刻出现去保护她，因为那样只会让事情变得更糟。

我把车子停在记者和叶子都看不见的地方。

便利店的门口围着一大堆的记者。叶子被他们这样围着，一定会害怕。我的心里不由得担心起叶子来。还好，Flora已经走过去，准备向记者澄清了。

Flora把记者招呼走之后，叶子的身边一下子清静了。我顿时觉得轻松，立刻走下车，想要走到叶子身边去。我刚要向那边走过去，却看到王宝强站在她的身边，紧紧地抱着她。

我刚刚跨出去的一条腿忽然僵住了。

原来这个世界上的“护叶使者”并不只有我一个。原来即使没有我，叶子也能随时找到候补的人选。我忽然有一点失落，又重新回到车里。

Flora向记者澄清之后，回到我的车上。

我把Flora送回了公司，心里却还是惦记着叶子。我不甘心就这样失去她，我要做最后一次争取。做了一番准备之后，我来到叶子的便利店里，强行拉着她离开了。

我带着她来到我们第一次亲吻的海边。

叶子问我要干什么。

我没有回答她，只是从车里拿出早就扩印好的照片。那是我和叶子第一次在海滩亲吻的照片，我从Flora那里拿来的。虽然是狗仔拍的，但也正好替我和叶子保存了美好的留念。

叶子看照片的时候，我对叶子说了很多话。她听完以后，感动得哭了。就在我以为我们可以和好如初的时候，她忽然说起和我在一起之后的种种委屈。

叶子说，她很介意我和Flora示范亲密动作。

叶子还说，我的世界总是对她充满敌意。Thomas故意陷害她，所有人都把她当做Flora的陪衬，她还觉得我嫌弃她化妆之后不够美丽。

我承认自己太粗心，因为我并不知道自己的同事让叶子受了这么多的冤枉。我第一次了解，看起来无忧无虑的叶子，居然因为我的到来，承受了这么多的委屈。

但是叶子也误会了我的想法。我不懂，为什么她宁愿按照自己的想法理解，也不愿意听我解释。拍广告那天，我和Flora示范亲密动作，这对我来说，只是正常工作的一部分。我不满意她的妆容，是因为化妆师给她化的妆太浓了。在我眼里，自然的叶子才是最美的。

叶子又说到了庆功party的事，她问我Flora吻我的时候，我为什么要接受。难道她真的没有看到，我在接受那个亲吻的时候有多抗拒吗？叶子一定看到了，但她却宁愿选择视而不见。

我还没来得及解释，叶子已经向我宣布，她想离开我的世界，因为她已经精疲力竭了。

我还能说什么呢？如果我的存在，给她太多沉重的负担，那么我宁愿不在她的世界里存在。如果我的离开，能让她重新快乐起来，那么我愿意在远处默默注视着她的幸福。

很讽刺是不是？总是被众人簇拥的我，竟然又一次失恋了。

我决定离开这座城市，去大溪地做野外拍摄。既然叶子不再需要我，我愿意离开。

正在收拾行李的时候，有人敲门。我忽然觉得敲门的会是叶子，立刻狂奔过去把门打开。门外站着的人却是Flora。

“是你？”我尽量掩饰着声音里的失望。

但是Flora还是发现了。她说：“看到是我你好像很失望？是在等你的叶子吗？”

我尴尬地笑了一下，对她说：“叶子也不会来了，我跟她已经分手了。”

“什么？”Flora有些吃惊，“你不是很爱她吗？为什么还要分手？”

“叶子就是叶子，她喜欢在某个角落里安静地生长，我的存在只会给她带来困扰。”我说。

听我这样说，Flora开玩笑地说：“还不是你不靠谱，幸好我下星期的婚礼，新郎不是你！”

我有些意外：“你要结婚了吗？新郎是谁？”

“对，新郎是我们公司的总裁Steven。”Flora微笑着向我宣布。

“Flora，你没有必要这么仓促，是我的离开伤害了你吗？”我走过去，抱着她的肩，关心地对她说。

她看着我的眼睛，没有丝毫地闪烁：“夏天，你不用这么自信吧？你不过是我的前男友，我决定跟谁结婚跟你有什么关系？”

“Flora，你不要逞强了……”

她却打断了我：“我没有逞强。我承认，我爱Steven没有爱你多，但是他爱我却比你爱我多。上次《娱乐周刊》的记者想要搞臭我，是他出手帮了我，却没有要求任何回报。但是他的心意我怎么会不懂呢？我和你还在一起的时候，你也只是情人节送我一束红玫瑰而已吧？但是他却会在白色情人节、七夕，甚至网络情人节都给我送上一百朵蓝色妖姬。既然我没有办法选择自己最爱的人做新郎，我为什么不能选择最爱自己的人做新郎呢？”

听Flora这样说，我没有再说话。Flora是个有主见的女孩，她知道自己最想要的是什么。也许，这个Steven真的会让她幸福。

“那好吧，我祝福你！”我对Flora说。

Flora对我嫣然一笑。她这才发现我在收拾行李，便问我：“你这是要去哪儿？”

我说：“去大溪地，一直都想去的。”

她立刻遗憾地说：“那你连我的婚礼都参加不了了吗？”

“恐怕是。”我抱歉地说，“飞机是下午三点的。”

Flora叹了一口气，说：“那好吧。我送你去机场。不过在这之前，我先要和Dior公司的人吃个饭。”说着，Flora拿起包要出门。

我微笑，说：“好，我等你吃完饭回来。不过，千万别喝酒啊！”

说完，我打开门。

“夏天，我出去和别人吃个饭！然后我再来接你去机场！”Flora侧身走出门去。

我答应着：“好。终于可以去大溪地了，我真的好开心！”

Flora笑了：“我也很开心。”

她忽然深深地吻了一下我的额头。

我微笑着，没有拒绝。

Flora再回来的时候，告诉我叶子在我门前留了书签和字条。

我急忙拿起字条看。原来她是帮张爷爷来给我送礼物的。她没有敲门，看来还是不愿意见我。我的心里顿时有一些伤感。

Flora看着我，问：“要不要再去见她一面？反正便利店就在楼下。”

我摇了摇头。

叶子在字条上说，四叶草代表幸运。为什么四叶草没有给我们的爱情带来幸运呢？她已经把书签放到了我的家门口，却不愿意再敲开我的大门。她真的下决心就这样离开我了吗？

Flora没有说话，只是帮着我把行李搬上车。对面，太阳照在便利店的玻璃窗上，闪闪发光，好像在问我：“你真的不进来了吗？”

我坐进Flora的车里，Flora慢慢地打着了车。就在车子要开始走的时候，我忽然说：“等等！”

我终于还是决定，在去机场之前，我要再去一次便利店，再见一次叶子。可是，上帝却连最后一次机会都不肯给我。

我走进了那间熟悉的便利店，左右张望。

叶子却不在。

“叶子去哪儿了？”我问汤圆圆。

汤圆圆看到我，显得有些意外：“叶子请了半天假，刚走。”

这时候Flora走了过来，对汤圆圆说：“要不你给她打个电话，问问她现在在哪里？”

汤圆圆看见她，脸上的表情立刻变得更冷了。

我连忙摆手说：“不用了。反正叶子也不一定想见我。”

叶子怎么会想见我呢？自从我和叶子在一起，我没有给她带去多少快乐和幸福，却帮她招来了许多麻烦和敌意。

我黯然地离开了。

叶子，请记得要比我幸福。

PART 9

叶子&夏天

真相大白后，夏天结束前，爱情还会回来吗?

“爱妻王之凡之墓”。

转眼，张奶奶去世已经一年了。

又是一年的夏末。

张奶奶的墓碑前，我和张爷爷并肩站立着。在墓地的四周，种着一丛茉莉花，在夏天的尽头散发着最后的香气。

今天是张奶奶去世一周年的日子。张爷爷说，他想在张奶奶的墓前待一下。我便安静地陪他站在墓前。张爷爷呆呆地看着张奶奶的墓碑，眼圈一直都是红红的。才过了一年，他头上的白头发又多了不少。

“叶子，你和夏天真的就这样分手了吗？”张爷爷忽然问我。

我点点头。

张爷爷的目光又转向张奶奶的墓碑：“老太婆，为什么人年轻的时候总是不知道珍惜呢？如果我们当年的时候不是因为误会分开，我就能多陪你过几天开心日子了。”

我看着张爷爷，问他：“您之前不是说，你们是因为家里的反对才分开的吗？”

张爷爷用低低地声音说：“家里再怎么反对，如果我们足够相信对方，就不会分开。我们分开以后，她跟别的男人在一起了，我也和别的女人结婚了。结果折腾了大半辈子，绕了一大圈，我们才发现自己喜欢的还是对方。可是，老天给我们安排的好日子却已经不多了……”

听了张爷爷的话，我忽然有许多的感慨。原来外人看起来再圆满的恋情，都是不圆满的。“荒野少女恨”的微博里，曾经提过帝企鹅的爱情。在南极那样艰辛的世界，帝企鹅却依然可以坚定地相信自己的爱情，忠贞不渝。可是我们，就这样轻易地松开了彼此的手。

这一年，我总是会想起，我和夏天之间的事，还有我们的这段感情。

看到草莓牛奶的时候，我会想起夏天脸上那个粉红色的奶渍，然后不由自主地发笑。

偶尔，我会抬头凝望着对面楼上的那扇窗户。自从夏天搬走以后，就再也没有人住在那里。我总是奢望着，有一天那扇窗户会重新亮起来。

看到出租屋墙壁上的大树，我会想起自己对夏天说过的话：“等你爱上以后，就觉得一点也不老土了。”每次想到这句话的时候，我都有一点想哭。

我去海滩吃大排档的时候，老板娘还有小五总会问我，夏天在哪里。我总会说，我也不知道，我把他弄丢了。

我最经常做的事情，就是坐在我和夏天第一次接吻的海滩上，回忆那个梦幻的夏夜。

从前我一直以为，我走不进夏天的世界，是因为他的世界在抗拒我。但是，最近我才明白，也许真正的原因是我不相信他，更不相信自己。两个相爱的人能够走到最后，需要相信爱情，更需要相信自己。

可是，一切都已经太迟了。夏天已经离开了，去年夏天的那段故事早已经散场。

“张爷爷，我错了，是我太轻易放弃了。”我说。

张爷爷慈祥地说：“傻孩子，感情没有完美，重要的不是过去，而是如何珍惜未来。我和你张奶奶，都已经一把年纪了，还不是选择了忠于自己的感情吗？”

张爷爷的话让我又一次陷入了思考。

❧ ❧ ❧

“叶子，你在哪里？我现在来接你，好吗？”宝强哥给我打来了电话。

墓园在离市区很远的地方。本来约好了，祭扫完张奶奶之后，宝强哥就开车来接我。自从夏天离开之后，宝强哥一直默默地陪在我身边。他总是给我无微不至的照顾，却又不要求什么。一切又好像回到了最初的时候。

我忽然想自己一个人待一会儿，便对宝强哥说：“我自己坐公交车到市里，不用接我了。”

按掉手机以后，我漫无目的地走在街上，像个游魂一样。街上人来人往的，我却有些孤独。

夏天，真的是我错了吗？

走过市中心的购物广场的时候，广场上的大屏幕突然出现了关于Flora的新闻。她已经有一段时间没有露面了。

新闻播报的声音传到我的耳朵里：“一年来，名模Flora消失在公众和媒体的视线之外，她究竟去做什么了呢？近来，C.I.公司正式公布消息，Flora和C.I.的总裁Steven一年前就已经秘密结婚。两人在欧洲度过了为期一年的蜜月，刚刚回国……”

我有点愕然，到底是怎么回事？Flora不是和夏天一起离开这座城市了吗？

正在我恍惚的时候，一个陌生的号码给我打来了电话。

我接通，电话那边的人居然是Flora。

Flora平静地说：“你看到新闻了吗？我和C.I.的总裁Steven已经结婚了。”

“嗯。”我在惊愕中吐出了一个字，然后追问她，“为什么？你不爱夏天了吗？一年前，你安排了那么多的事情来整我，难道不是为了得到他吗？”

Flora略带歉意地说：“我为我之前做过的事情向你道歉。但是，我那天忽然在记者面前帮你澄清，你就不觉得很奇怪吗？明明是我布好局羞辱你，为什么又忽然现身救你？”

“我的确不明白。为什么？”我问。

Flora叹了一口气：“因为当时夏天来找我，让我放过你。”

“你会那么轻易就答应吗？”我冲口而出。

“你还真是了解我，”Flora笑了，却似乎没有了一年前的那种妖魅，“如果有人抢走了属于我的东西，我一定不会轻易地放过她。但是，夏天来找我的时候，我发现，他已经不属于我了。”

我一时没反应过来，她继续说：“夏天来找我的时候，我发现他变了。他原来是个粗线条的男人，脾气又坏，但是现在却变得善解人意起来。还有，他说起你的时候，总是不经意地就会露出浅浅的笑。我从来没有见过他的脸上出现那么幼稚的表情。那一刻，我就知道，夏天已经不属于我了。”

“那你忽然就有了新的结婚对象？”我还是不信。

Flora高傲地说：“那当然，我是Flora。我怎么可能让自己被抛弃，我身边有的是男人。”

她说话的时候，我总觉得她有一点嘴硬。我依稀记得，一年前，当她说出那句“婚纱是每个女孩的梦想，但婚纱身边未必有她最喜欢的人陪伴”的时候，眼睛里满是哀伤。

但是Flora的声音却忽然变得温柔了：“经过那么多的事，我才明白，Steven才是真正爱我的人。如果不能跟自己爱的人在一起，那么就跟爱自己的人在一起吧。”

“我不懂。”我老实地说出了自己的感受。

“爱我的人，才能对我足够好。”Flora忽然又说到了偷拍的事，“一年前那件事，你以为是我找狗仔来偷拍你们的吗？我还没这么下三滥！”

我惊奇地问：“那是谁？”

“是我之前得罪了《娱乐周刊》的记者，他们当时偷拍你，本来是想揭穿我和夏天已经分手的事。”Flora说。

我说：“那个人之前的确是来过我们店里。但那不是你指使的吗？”

“不是。他一开始报道的初衷，是为了整我。因为我和夏天已经闹出隐瞒恋情的新闻，如果再被发现隐瞒分手，我肯定会受到公众的谴责。就在他拍到你和夏天接吻的照片以后，Steven发现了这件事。他不惜一切地把那篇报道和所有的照片买了过来，交给我。”

“坦白说，看到你和夏天接吻的照片，我吃醋了。虽然夏天私底下跟我说过你是他的女朋友，但是他并没有公开宣布过。我以为他只是在气我，而你是在勾引他，我才会安排下一系列的事情来报复你，并且让Steven帮我安排，发了一篇写你是第三者的报道。直到夏天来找我，我才意识到，他是真的喜欢上了你。所以我才会答应救你，并且和他分手。我可不会和一个不爱我的人在一起！”

Flora欲言又止，终于还是告诉了我一件事：“Steven跟我说，你的身边有人给《娱乐周刊》的记者当内线，所以那记者才拍到了你们接吻的照片。”

“是谁？”我问。

Flora无奈地说：“Sorry，我不知道。他没有说。”

我忽然想起一件事情，还是有些疑惑地问：“可是夏天离开的那天，我明明看到你和夏天在一起，我还以为你们……”

“以为我们复合了？”Flora在电话的那一边笑了，“哈，我那天去找夏天，就是告诉他，我要和Steven结婚的消息。没想到，这个家伙连我婚礼都不参加，就急着要去大溪地了。”

我更加奇怪了：“你们没有一起去大溪地吗？”

“哪有，我跟他去的话，Steven会吃醋的！”Flora俏皮地说，“我只是送他去机场而已。那时候我把你带到婚纱店，就是想促成你们复合。谁知道，你那个同乡过来把我大骂一顿，气得我都说不出话来了。”

原来是这样，一切都是误会。

我再也无心听Flora说话了，身体不由自主地颤抖起来。

“夏天，你在哪里？”我悲伤而绝望。

“别着急，他总会回来的。我有预感，他一定会回来找你。你虽然喜欢他，但你还不够了解他，所以当时我才能够成功地挑拨离间，哈哈。”Flora开玩笑地说，“我先告诉你他的微博，在等待的日子里，试着了解一下他的内心吧。”

挂断电话后Flora给我发了一个微博地址，告诉我这就是夏天的微博。

“荒野少女恨”，居然是它。原来在冥冥之中，还有这样一条细细的线牵引着我和夏天。在虚拟的世界里，我们已经互相陪伴了这么久。

夏天最新更新的一条微博是：“如果夏天的结束，可以让这个世界变得清凉。那么我愿意用所有的爱，来酝酿离开的勇气……”

我为什么一直没有发现，“荒野少女恨”和夏天的关联？我为什么一直没有从这最后的一条微博里，读懂夏天对我的爱呢？

眼泪一瞬间冲出了我的眼眶。

忽然很想找个人说话，于是我回到了店里。

圆圆今天上晚班，应该可以找她聊聊吧。

汤圆圆一见到我，打趣地说：“叶子店长，你怎么来啦？来视察工作吗？”店长和妈妈结婚以后，很快升任了区域经理，而我则成为了便利店的店长。从那以后，汤圆圆总是开玩笑地叫我“叶子店长”。

“圆圆，今天我见到Flora了。原来夏天没有跟Flora复合，我误会了夏天。”我没有心情跟她说笑，只是一把抱着她，伤心地说着。

汤圆圆迟疑了一下说：“其实，夏天离开之前来找过你。”

“啊？你怎么不给我打电话？”我急了。

汤圆圆说：“我要打给你，但是夏天拦住了。他说反正你也不愿意再见他，我当时看到Flora在他身边，以为他和Flora又复合了，就没有告诉你……”

“唉……”我叹了一口气。

为什么连最后一个机会也要被我错过？从此以后，我们就这样擦肩而过了吗？

❀ ❀ ❀

汤圆圆说到电话，我忽然想到，我和夏天去吃海鲜大排档那天，汤圆圆给我打了一个电话。

那篇说我是第三者的报道里，我和夏天接吻的照片，应该就是在我们吃完海鲜大排档以后拍的。如果是这样，那么知道我们在海边的人只有汤圆圆，难道她就是Flora说的那个内线吗？

我看着汤圆圆，决定直接问她：“圆圆，一年前，我和夏天在海滩吃饭那天，你给我打了一个电话吧？”

汤圆圆不知道我为什么这么问，她说：“因为那天王宝强来找你，问我你在哪儿，正好我又想知道你和夏天的进展。我听说你们在一起吃大排档，开心得不得了。还警告王宝强不能去打扰你们呢！”

“这么说来，是宝强哥？”我简直不敢相信。

汤圆圆奇怪地看着我：“王宝强怎么了？”

我把Flora对我说的话告诉了汤圆圆。汤圆圆也不太相信是宝强哥，我们决定打一个电话给他。

“喂，王宝强吗？上次我告诉你夏天和叶子在海边吃大排档，你没去搅和他们吧？”汤圆圆打通了宝强哥的电话，劈头就问。

电话那边，宝强哥沉默了很久，突然失声说：“是我害了叶子！我对不起叶子！”

虽然已经猜到了，但我和汤圆圆还是吓了一跳。

宝强哥一边放声哭泣，一边说出了事情的原委。

原来，《娱乐周刊》的记者发现宝强哥经常来便利店找我，就偷偷地找到他，要他当线人。宝强哥拒绝了，但那个狗仔还是留下了自己的电话号码。后来，我和夏天去海边的大排档庆功，宝强哥正好来找我。

宝强哥在电话里对汤圆圆说："你告诉我叶子和夏天在海边吃大排档以后，我就忍不住想去找她。到了那里，我看到他们那么亲热，立刻妒忌得要命。一时糊涂，就给那个狗仔打了电话。后来我也很后悔，一直想告诉叶子，可是又没有勇气……"

汤圆圆大声地骂道："王宝强，你这个糊涂蛋，你怎么能这样对叶子！那个混蛋狗仔也来找过我，还开了相当不错的报酬，我理都没有理他！"

"我错了，我糊涂，"电话那边的宝强哥一边说，一边痛苦地扇了自己一耳光，"可是我不明白？我明明求那个人不要登这些照片，并且告诉他叶子和夏天是真心相爱的！他为什么还要这样写他们？"

汤圆圆笑了："王宝强啊王宝强，亏你平时还是个聪明人。狗仔的话你也相信？"

"那现在怎么办？圆圆。我现在跟叶子道歉，她会原谅我吗？"宝强哥小心地问。他的声音很小，但我还是听到了。

我接过汤圆圆的电话，对宝强哥说："我原谅你，宝强哥。"

我只是想知道真相，一切都已经过去了，我并不想怪谁。

☘ ☘ ☘

我走到电脑前面，打开电脑，在夏天最后的那条微博后面写一句回复："也许我是这个世界上最渺小的叶子，但是如果再给我一次夏天，我一定会勇敢地生长。——叶子"

夏天，我相信你会回来。

我会让自己变得更坚强，我会在原地等你。

结束了一系列的野外拍摄，我又回到了这个城市。因为，在这座钢筋水泥的城市里，有一片让我魂牵梦绕的叶子。

在没有网络、没有娱乐的荒野上，我并没有觉得孤单寂寞，因为我的内心已经被一个叫叶子的女孩填得满满的。我无数次地温习我们相处的每一个细节，每天晚上一闭上眼睛，我就仿佛能摸得到叶子那张自然而美丽的脸。

“不知道叶子现在怎样了，她是不是还坚持要分手呢？那片傻傻的叶子，她会等我吗？”我突然变得很没自信。

犹豫间，我打开了自己一年没有登录的微博。

一年前，我在离开的时候发了这样的一条微博：“如果夏天的结束，可以让这个世界变得清凉。那么我愿意用所有的爱，来酝酿离开的勇气……”

一年后，重新回到有网络的世界，我看到这样的回复：“也许我是这个世界上最渺小的叶子，但是如果再给我一次夏天，我一定会勇敢地生长。——叶子”

回复的时间，竟然就是一分钟以前。我变得激动而快乐。

叶子是怎么发现这个微博的？我不知道。也许，真正相爱的人，上帝总会安排下让他们重逢的线索。

我坐在电脑前面，默默地贴出从前给叶子拍的照片，同时写下自己的经历和感悟。我知道，叶子一定会看得见。

“学会适应被一个人抛弃真的很难，因为当初爱上她的时候，每一步都让人印象深刻。第一次遇见她，不小心吓到了她和她的小狗。第二次遇见她，我成了她的救世主。第三次遇见她，她告诉了我许多关于她的故事……上帝因为我们相信爱情，就把我们作为给彼此的奖励。”

“跟我说分手的时候，你不让我解释，可是我还是想要解释。我和别人示范情侣的时候，因为心里想着你，才能笑得那么甜蜜。你说我的世界对你有敌意，但那个世界也不是我的世界，不然我就不会逃离。你问我为什么不喜欢你化妆？因为我最喜欢你自然的美丽。你介意我和别人的吻？我只是想给她最后的告别，然后让自己完全地属于你。”

写完这段话，我叫来快递，给她叶子送去了一条在外地买的瓢虫手机链，附了一张卡片，上面写着：“恋上叶子的瓢虫只能做益虫。老地方见，我会一直等到你来。”

夏天&叶子：两个人的烟火。

我们站在我们曾经拥吻的海边，我们泪流满面。

然后，我们看到了彼此。

烟火中，我们慢慢地走近，再走近。

我们伸出了双手，环抱住对方。然后，我们开始亲吻，就像是分离了几个世纪一样。

最后，我们默契地握住了彼此的手，并且把紧握着的手举到了胸前。

十指紧扣代表携手，紧握着手代表爱，胸前是离心最近的地方。这一系列的动作，合起来的含义就是：携手把爱放在心里！

原来我们都还记得。

我们看着对方，会心地笑了。

盛大的烟花在空中绽放。

这是属于我们的，两个人的烟火。